MARC SÉGUIN

Artiste peintre né en 1970, Marc Séguin vit entre Hemmingford, Montréal et son atelier de Brooklyn. Ses œuvres, exposées dans les plus grandes villes, ont été reconnues lors de manifestations et foires contemporaines prestigieuses, tant à Venise, Bâle, New York qu'à Miami. *La foi du braconnier* est son premier roman.

LA FOI DU BRACONNIER

Sur les routes d'une Amérique qui l'a déçu, sur les sentiers de chasse du Grand Nord, sur les voies de la prêtrise, entre les cuisses des femmes, un homme à moitié Mohawk, un peu hors-la-loi, pas mal braconnier poursuit sa quête d'absolu.

À travers cette recherche d'idéal, ces expériences et ces témoignages décapants ponctués de références musicales, son questionnement se précise : Et si le salut passait par Emma qui dort à ses côtés ?

Saisissant roman d'initiation à la sensualité sauvage, *La foi du braconnier* traduit, dans un style puissant, les élans de la jeunesse, les doutes, les illuminations et les blessures d'un homme qui fuit sa destinée pour mieux la poursuivre.

LA FOI DU BRACONNIER

MARC SÉGUIN

La foi du braconnier

roman

BIBLIOTHÈQUE QUÉBÉCOISE

BIBLIOTHÈQUE QUÉBÉCOISE (BQ) est une société d'édition administrée conjointement par les Éditions Hurtubise et Leméac Éditeur. BQ remercie le gouvernement du Canada, le Conseil des arts du Canada, la Société de développement des entreprises culturelles du Québec (SODEC) et le programme de crédit d'impôt pour l'édition de livres du Québec (Gestion SODEC) du soutien accordé à son programme de publication.

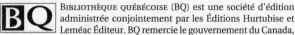

Conception graphique : Gianni Caccia

Typographie et montage : Luc Jacques typographe

ISBN 978-2-89406-326-2

Dépôt légal : 1er trimestre 2012
Bibliothèque et Archives nationales du Québec

Distribution/diffusion au Canada :
Distribution HMH

Distribution/diffusion en Europe :
DNM-Distribution du Nouveau Monde

IMPRIMÉ AU CANADA

À Emma.

LE LENDEMAIN MATIN, je n'étais pas mort. Je me suis réveillé, comme d'habitude. Emma était allée conduire la petite à la garderie.

Je suis sorti faire des courses pour le resto. Marché public. Musique de Noël. Légumes de saison, quelques fruits. Les dernières pommes de l'année, grises. Des Russet, celles qu'on fait cuire et qui ne fondent pas. J'avais l'idée de mettre au menu un lapin farci aux pommes et au foie gras. Les étals présentaient encore des produits frais, même en décembre, patates, salsifis, topinambours. Des légumes plantés en mai et achetés sur une chaussée enneigée à la fin décembre. Dans l'année, il fera de moins trente à plus trente degrés Celsius. J'avais les bras chargés d'une dizaine de sacs enfilés dans autant de doigts. Manteau d'hiver trop chaud. L'eau coulait doucement dans mon dos, empruntant le creux de la colonne avant de finir sur la bande élastique de mes boxers. J'ai marché normalement, un peu beaucoup en moi, sans croiser de regards et sans les chercher. Les yeux devant, mais plus loin qu'ici. J'imagine que ça se sent, car je réussis assez bien à ne pas être trop ouvert. Je ne veux pas de sourires étrangers ni de salutations polies. En général, je déteste les gens que je ne connais pas et je hais ceux que je finirai par connaître.

Je n'ai jamais compris rapidement les situations importantes ; j'ai toujours mal compris les choses amoureuses et essentielles. Quelques secondes ou minutes, parfois des heures et même des jours pour aligner les mots entendus dans un ordre doué de sens. Les mots d'Emma.

En approchant de l'auto, j'ai saisi tout d'un coup ce qu'elle a voulu me dire hier soir quand je me suis couché. Bang. Blackout. Une panne électrique. Tout se ferme et ça prend une ou deux secondes avant de comprendre ce qui se déroule sous et derrière les yeux. La prière est une pensée privée que personne ne peut entendre. J'ai juré du dedans mais peut-être aussi à voix haute, je ne saurais pas dire parce que tout ce que j'entendais, c'était une sirène dans le crâne. Une sorte d'acouphène de la conscience. Décalé. Le temps ne va pas assez vite. Dans les haut-parleurs du marché, Dean Martin chante Noël et un monde guimauve.

J'ai revu la dernière semaine. Ce caribou que je n'ai pas tué. Mon retour du Nord. Monseigneur Vecellio, Pietro, qui est mort en novembre. J'ai revu Emma et toutes ces années qui m'avaient mené jusqu'à elle, aujourd'hui.

J'ai revu la soirée d'hier sans émotion, désincarnée, comme racontée par un autre.

Je me suis assis dans la voiture et j'ai regardé une carte routière usée de l'Amérique du Nord, tirée d'un atlas, arrachée pour être juste, avec dessus, à l'encre bleue, en lettres carrées, majuscules et nerveuses, les mots FUCK YOU. Mon écriture.

C'est fini. L'odomètre est revenu à zéro. Je lève les yeux vers le rétroviseur.

La voiture n'est pas en marche.

Sata'Karite Ken[*]?
Wakata' Karite[**].

Non.

---

[*] Comment vas-tu?
[**] Tout va bien.

JE CROYAIS AVOIR APPUYÉ SUR LA DÉTENTE, mais je n'ai pas entendu le coup de feu. La détente était plaquée en or. Je me souviens avoir ressenti une lourdeur, une chute disloquée et un son sourd. Pas de douleur. Je ne me suis pas senti mourir. J'avais pourtant imaginé cette scène comme une horreur de sang, d'os et de cervelle répandus aux plafonds, murs et planchers. Et si j'avais eu un œil de verre, on aurait pu le retrouver à quinze pieds du reste de ma tête, intact. Fin de l'épisode. Il me semble qu'il n'y avait pas de bruit ambiant. Un film muet. Le canon froid dans ma gueule grande ouverte. Une longue descente dans la douce résistance de l'air. Le sol a monté.

J'ai revu le rituel et les gestes précis, sans tremblotements, j'ai vu le fusil tourner vers ma tête – ce fusil italien avec lequel je chasse depuis plus de dix ans – et me suis souvenu encore que le trou du canon par lequel le projectile sort s'appelle véritablement l'âme.

Je me suis levé. Les yeux pesants. Un goût de truffe noire dans la bouche. Je me suis demandé si la mort pouvait goûter la truffe. Puis j'ai ressenti un immense soulagement d'avoir su mourir. Une cartouche de fusil, moins d'un dollar. Et très peu de frais moraux, sinon quelques-uns, émotifs, avec pour conséquence les mêmes symptômes qu'une entrevue ou un atterrissage d'avion turbulent : papillons dans l'estomac, vertige, mains moites et froides. La Mort peut-elle être une destination ? Comme des vacances. Ou une pancarte d'autoroute qui vous souhaite la bienvenue. Ça y est, vous y êtes. C'est tellement important de savoir où l'on est.

Debout, en mal d'équilibre, presque saoul, je me suis dirigé vers la fenêtre. J'y ai vu des voitures, les mêmes voitures anonymes que d'habitude, les mêmes autobus qui entraient au garage municipal et qui en sortaient. Toujours pas de bruit. Ou seulement une trame sonore anonyme qui vient du téléviseur. Il m'a semblé que les passants étaient différents, plus indifférents encore qu'hier. J'ai voulu flotter, voir une lumière ou même la noirceur complète. Ici, rien ne ressemble à ça. Les trottoirs sont toujours gris, mais la neige commence à tomber. Aussi ironique que cela puisse paraître, je ne voulais pas être déçu, mais sitôt pensé, trop tard rendu. Ce n'était pas du tout ainsi que j'envisageais mon décès. Je me suis retourné pour voir si c'est vrai qu'on peut apercevoir notre corps rester, si l'on peut dire, dans le monde des vivants. Non. Toujours le soir. Et toujours en moi. J'aimerais un jour ressentir ma pensée ailleurs que derrière les yeux.

À l'évidence je n'étais pas mort.

J'ai vraisemblablement perdu conscience avant que le coup ne parte. Excitation ou peur. Je me suis dit qu'il faudrait ajouter une annexe à la lettre pour dire que je n'étais pas mort. Je me souviens aussi m'être dit que c'était une drôle d'affaire tout ça. Je ne le savais pas encore, mais je n'aurais plus jamais besoin de me tuer. Emma s'en chargerait.

J'ai ramassé la feuille de papier que j'avais insérée dans une enveloppe blanche Hilroy. Incapable de la lécher faute de salive, j'avais encarté le rabat vers l'intérieur, comme quand on la remet en mains propres. Et puis c'est dégueulasse, cette salive d'autrui qu'on manipule, des vecteurs à virus et autres microbes. Je préfère les enveloppes autocollantes. Je l'ai relue.

J'ai récupéré l'arme tombée par terre. Un fusil au sol, ça n'a rien à faire avec la vie normale : ou c'est rangé dans un étui ou un coffre, et alors on ne le voit pas, ou bien c'est dans les mains de quelqu'un qui menace de tuer. Les armes ne tuent qu'avec le consentement humain. Je l'ai encore regardée quelques secondes en me disant que c'était un objet tellement inoffensif quand on le comprend. C'est pas comme si on avait envie de lui faire un gros câlin, mais on se sent beaucoup moins seul quand on est armé. Des fois, on dirait la tête de la personne aimée, couchée sur sa poitrine. On se sent fort comme en amour. Il y avait encore de la salive à la sortie du canon.

J'ai replié la lettre écrite sur la page de garde de mon vieil atlas de l'Amérique du Nord et l'ai mise dans ma poche. J'ai déchargé le fusil avant de le remettre dans l'armoire verrouillée.

Je venais à peine de rentrer de la chasse au caribou. Mon sac de voyage traînait toujours dans l'entrée, sur les bottes et les souliers, là où je l'avais déposé en revenant du Grand Nord. La maison était silencieuse. Je suis monté à l'étage. Mon monde dormait.

Elmyna, sur le dos, les bras relevés au-dessus de la tête. Imperturbable. Sa respiration faisait onduler les couvertures. Je suis sorti à reculons. Je devais sourire.

J'ai rejoint notre chambre et me suis glissé sous les couvertures, doucement et prudemment, presque coupable, à la manière d'un gars saoul qui entre tard à la maison.

J'ai posé mes lèvres sur la nuque chaude d'Emma. J'aime le cou des femmes.

Elle ne dormait pas.

Elle s'est retournée, m'a embrassé longuement et m'a chuchoté un truc à l'oreille.

Emma que j'aimais comme une prière qui se serait réalisée.

Oᴄᴛᴏʙʀᴇ 1991.

Je ne l'ai su que quatre jours plus tard dans un Holiday Inn de Winnipeg. Parc national du Mont-Riding au Manitoba. L'ours noir que j'avais tué pesait plus de 350 kilos. Petit fait divers, page de droite, dans le *Globe and Mail* : « Monster shot down by a poacher. »

J'ai su que c'était une grosse bête dès que j'ai vu cette masse noire, lourde et grasse apparaître sur la route. Heureux de ne voir personne devant ni dans le rétroviseur. Sans demander, ces choses-là m'arrivent, comme certains parviennent à lire et aimer Proust, d'autres à jouer du violon, à écrire, à apprendre des langues, j'imagine. C'est un talent ou une quelconque prédisposition dont les codes me sont encore obscurs. En bloquant les roues, d'un coup de volant bien senti, j'ai fait glisser l'arrière du pick-up en travers du chemin, du bon côté, c'est-à-dire celui de ma portière que j'ai ouverte en une fraction de seconde pendant que l'autre main, la droite, ramassait l'arme au pied du siège passager. L'ours s'était arrêté, curieux comme presque tous les animaux sauvages, trop curieux. Bang. Foudroyé sur place.

Je suis une conséquence de l'Amérique moderne. L'Amérique que la poudre à fusil a conquise et rendue conquérante. Et même si je suis un produit intellectuel de la classe moyenne, une moitié blanche, l'autre amérindienne. Dans mes veines coule encore une motivation de prédateur. De régulateur, diront les biologistes et les chasseurs conscientisés à la mauvaise réputation de la chasse. Faut dire «prélever la ressource»; bande d'hypocrites. Moi, je tue des bêtes pour ne pas tuer des hommes. Une manière de sursis pour ces derniers. Quand c'est possible, j'en rapporte aussi une partie dont je me nourrirai éventuellement et je ne fais aucun effort pour dissimuler le cadavre. Une carcasse, ça sert à un tas d'autres espèces dans la chaîne.

Au mieux, j'enlèverais l'ours de la vue directe, mais ça n'aurait pour seul but que de retarder la découverte du méfait. Pas question de le ramener en entier : impossible à bouger. Je ne crois même pas être en mesure de le soulever d'un mètre pour le hisser dans la boîte du pick-up. Affaire réglée. Si c'était un humain, alors là il faudrait camoufler le corps parce que la base du problème est franchement très simple : pas de corps, pas de crime. Mais là encore, le poids est un fardeau. Voilà pourquoi les tueurs, dans l'évolution maîtrisée de l'acte, découpent leurs victimes. Ils pensent à la suite.

Évidemment que la vésicule biliaire manquait, disait l'article du *Globe and Mail*. Pas con. On m'avait payé quatre mille cinq cents dollars pour cette seule vésicule. En 1991, pour un étudiant en cuisine à l'Institut d'hôtellerie, c'était une extraordinaire somme d'argent. La bile valait jusqu'à vingt fois le prix de l'or si on savait la préparer. La recette prévoit de faire sécher, à la noirceur, l'organe qui ressemble à une pommette allongée, déshydratée, et de le découper en trois ou quatre morceaux qu'il faut ensuite laisser macérer dans autant de bouteilles de whisky ou de scotch. «Paraît que ça soigne tout, hein, mon gros», que j'avais dit à voix haute. Je parle toujours à l'animal que je viens d'abattre, ça personnalise le rapport de dominance. Un rhume, une ponce de scotch à la bile. Problème d'érection, un verre de whisky d'ours. L'année suivante, en 1992, l'ours noir d'Amérique allait entrer sur la liste CITES interdisant le commerce des organes des animaux menacés ou en voie de disparition.

Les prescriptions asiatiques sont abondantes. Et la mort? Personne ne sait si ça se guérit. Pas même les Chinois qui sont beaucoup plus nombreux que nous à mourir.

L'ours du Manitoba, lui, était mort dans ses pas. Si j'avais à calculer le milieu exact du chemin de terre qui traverse le parc du Mont-Riding, je dirais qu'il était couché sur la ligne jaune inexistante. Atteint en plein crâne. «Une balle de tête», que j'avais murmuré. Un centimètre plus bas que l'oreille gauche. Si les animaux avaient un pouvoir de conscience, il n'aurait même jamais su qu'il était mort. Un petit trou propre, de la grosseur d'un pois, presque invisible à l'entrée et un cratère, creux, rouge et noir, gluant, de la grosseur d'une pomme de l'autre côté. Les yeux ouverts. C'est ainsi qu'on sait quand un animal est mort. Un homme aussi, je suppose. Les yeux fermés, c'est encore vivant et il faut l'achever. Les yeux ouverts, ça fait toujours un petit quelque chose de plus; un clin d'œil complice quand on comprend qu'on a raison.

Gros flocons mouillés. Brunante humide. Musique forte. *Nevermind.*

La guerre au Koweït et en Irak était terminée depuis plusieurs mois, mais les feux des puits de pétrole brûlaient encore chaque soir, aux infos. J'ai toujours aimé faire le plein et sentir l'odeur fraîche de l'essence, je savais même différencier, les yeux fermés comme au défi Pepsi, entre l'ordinaire et le super. On dit gazophile, je crois. *Smells like teen spirit.* Nirvana venait de sortir son deuxième disque, que j'écoutais en boucle grâce à la fonction replay de ma radiocassette volée sur l'ancien boulevard Dorchester, qui avait changé de nom en 1987 pour s'appeler boulevard René-Lévesque, mais que Westmount refusait de modifier. Volée dans une Audi 5000 bleu ciel en pleine heure de pointe, sans que personne s'en étonne. C'était facile, les Audi 5000, avec leurs petits numéros qui faisaient office de clé et que l'on devait poinçonner pour déverrouiller. En tenant le un et le cinq simultanément pendant huit secondes, la portière se déverrouillait. Bib bib bib, et elle était à nous. Il suffisait de glisser les doigts d'une main derrière l'appareil audio et de pousser doucement vers soi.

J'avais réussi à retourner l'ours sur le dos en le tirant avec le pick-up sur le bord du fossé. Deux pattes, les deux gauches, encore attachées au pare-chocs. Me suis demandé comment, dans son roman *Un dieu chasseur*, l'écrivain Soucy avait pu imaginer son héros trappeur faisant l'amour à une ourse morte. Tordu. Mon ours ainsi retenu aurait été facile à enculer, si j'avais voulu. Mais cette masse informe ne provoquait chez moi aucun désir.

Faut couper à partir du plexus. Il y a moins de poils sur le ventre, que mon couteau Buck 119 fendait avec précision. Je suis toujours aussi surpris de constater que dans toute la froideur naturelle et uniforme d'une forêt d'octobre, des pierres à la cime des arbres, il existe une chaleur vivante et si réelle. Mourante, la chaleur. La vie est chaude et celle de l'ours fuyait en vapeur. Sublime, dit-on en physique, quand un solide devient gazeux. J'aime me rappeler les termes précis. N'empêche que mes mains gelées appréciaient cette petite fortune de sang et d'organes fumants. Presque brûlants par contraste sur mes doigts gelés. Une fois la peau fendue jusqu'aux organes génitaux, que l'on contourne avec précaution jusqu'à l'anus, il faut couper la coiffe qui retient toute la panse, la sortir au complet pour avoir accès au foie. Une toile de dentelle. C'est beau, ça servait autrefois à faire de la saucisse et du boudin de sang.

Un animal de 350 kilos doit avoir au bas mot 50 kilos d'intestins et d'estomac. Et ça glisse et ça sent toujours la même odeur : le sang chaud, comme un métal, et pas du tout comme un parfum, ni de coquetterie ni de cuisson. Il y a des bruits de succion, comme ceux de l'amour, mêlés à mon souffle, retenu puis repris en tournant la tête vers l'arrière.

Le soir, dans mon lit, quand j'étais petit, j'essayais de battre des records en retenant ma respiration le plus longtemps possible. Quarante, cinquante, soixante secondes. Une fois j'ai dépassé la minute. Ma montre chronomètre a déjà marqué cent quatre secondes. Et j'explosais à reprendre mon souffle, satisfait et convaincu d'avoir gagné une bataille contre un ennemi imaginaire.

Je suis parvenu à sortir la masse molle et informe de l'ours, qui tout d'un coup s'échappe du ventre et glisse au sol. Le foie est attaché à l'estomac, et je me souviens avoir souri en voyant la petite masse brun pâle, presque blanche. Attachée au foie, la vésicule avait la grosseur d'une pomme d'été. J'ai voulu préparer un ragoût d'ours aux pommes et aux pois.

Un véhicule vert foncé, en sens inverse, portant les lettres blanches, sales, Mount Riding Manitoba National Park, s'est arrêté à côté de moi alors que j'allais redémarrer.

«You'all right?» qu'un type obèse d'une quarantaine d'années m'a demandé en même temps qu'il tournait un bouton pour baisser la voix nasillarde d'une chanteuse country. J'aurais été surpris que ce gardien de parc daigne sortir de son véhicule. J'avais donc laissé mes mains tachées de sang sur mes genoux en lui répondant de la tête que, oui, ça allait. J'avais seulement dû m'arrêter pour enclencher les quatre roues motrices de mon pick-up – à l'époque, on devait tourner une clé sur les roues avant pour embrayer les quatre roues. Les deux moteurs tournaient au ralenti. Il a relâché son frein et a bougé tranquillement, satisfait de ma réponse. Le bruit des pneus sur le chemin de terre a été ensuite couvert par celui du moteur relancé. Il n'avait pas remarqué la carcasse sombre à peine cachée par le pare-chocs arrière. C'est fou comme les doutes et la nervosité peuvent passer inaperçus quand on a l'air normal et calme. Ou presque. Il avait tout de même remarqué que ma plaque minéralogique venait du Québec. Un peu plus tard, les autorités du parc déduiraient que je faisais partie des suspects. Le même gardien obèse découvrirait l'ours abattu, au même endroit, le lendemain matin. Mais alors j'aurais déjà traversé la frontière. Après une recherche par couleur et type de véhicule, mon nom allait figurer sur une liste probable de suspects. Sans aucune preuve concrète, pas d'accusations. J'étais désormais fiché à TRAFFIC USA, un organisme-police, sorte d'Interpol biologique de surveillance de trafic d'organes d'animaux et de plantes. Suspected poacher. Braconnier.

À TIRE-D'AILE
Un pick-up Dakota bleu deux tons 1987 immatriculé au Québec circule sur une route sauvage du Parc national du Mont-Riding au Manitoba. Il commence à faire nuit. Dans la forêt dense de ce parc protégé, un ours mâle marche à bon pas et s'engage dans une ouverture. La neige qui tombe a recouvert et rabattu au sol les odeurs. Les proies sont plus difficiles à traquer. L'ours hésite en voyant cet espace qui ressemble à une clairière. Au milieu de cette éclaircie de roches et de sable, deux feux lumineux bruyants sur sa gauche. Un bruit sourd retentit, lumineux lui aussi, et un coup brûlant, très violent, terrasse l'ours. Un homme sort et s'affaire plusieurs minutes sur l'animal mort. Plus tard, en sens inverse, une camionnette verte conduite par un homme s'approche du Dakota bleu. Les deux camionnettes restent immobiles quelques instants avant de poursuivre chacune leur chemin.

J'ai roulé toute la nuit, d'abord vers l'ouest jusqu'à Esterhazy en Saskatchewan, changeant de province. De là, vers le sud pour traverser la frontière canado-américaine à North Portal, jusqu'à Stanley, petit bled américain du Dakota du Nord. Un panneau affiche Welcome to Stanley, population : 1371, families : 678.

North Portal. Minuscule poste frontalier avec un seul douanier par quart de travail, et qui ressemblerait à une maison privée si ce n'étaient des clôtures d'acier qu'il faut traverser seulement quand la lumière verte s'allume. Dix mètres plus loin, un écriteau : Welcome to Portal, USA. On baisse la fenêtre et on attend, de bonne foi, il me semble, parce qu'il s'est certainement écoulé cinq minutes avant qu'une forme humaine n'apparaisse. Moi, je pensais aux toilettes publiques, plus précisément combien les urinoirs pour hommes sont des objets malpropres ; chaque fois qu'un homme pisse, il en tombe au sol, d'autres y mettent les pieds, eux aussi pissent des gouttes au sol, et toutes ces accumulations de provenance étrangère peuvent se retrouver sous mes chaussures, sur mon plancher, sur mon tapis de pick-up et composer une soupe de pisse extraordinairement voyageuse.

« Yeap, me dit la femme six fois trop grosse pour sa taille. J'ai toujours imaginé les Américains du Nord plus minces que les autres.

— I'm going on a hunting trip to Stanley. »

Tout est normal. Le Dakota du Nord est un immense terrain de chasse et, mis à part les fardiers, les chasseurs constituent la principale clientèle de ce poste frontalier. La vésicule gelait doucement sur un bloc de glace, à côté d'un sandwich aux champignons sauvages et d'une cannette de bière. J'aurais été surpris que la douanière sache de quoi avait l'air une vésicule d'ours, auquel cas j'aurais pu lui raconter qu'il s'agissait d'un bout de viande comestible. J'aurais pu en prendre une bouchée pour le lui prouver et je serais devenu immortel.

« Okay, go. »

À Stanley, j'ai expédié par FedEx la vésicule, sur glace, à Montréal : rue de La Gauchetière, restaurant La République du Sichuan. 24 heures. Le postier a inscrit « Gift » sur le colis, moins de chances ainsi de se faire inspecter à la frontière, et j'ai donné le nom du ministre de la Faune comme expéditeur, avec l'adresse réelle du seul motel de Stanley dont je n'allais jamais même voir la couleur des plafonds.

J'ai repassé la frontière à Portal. Cette fois, le douanier canadien s'était mis en tête de me faire chier avec des questions de routine et de psychologie animale.

« Where do you live ?

— Montreal.

— That's a long way. Purpose of the trip ?

— Hunting, la chasse, que je lui ai répondu en sachant fort bien que le doublage français allait me donner du trouble parce que, dans le plus bilingue des pays du monde, les unilingues se sentent toujours menacés.

— Any cigarettes or alcohol ? la bouche presque fermée.

— No, sir, went hunting and didn't have time to go to the liquor store, and whatever I had I drank it all there.

— How many bottles do you have ?

— None, sir.

— Tobacco products ?

— No. »

J'ai toujours senti quand ma pression monte. Mes oreilles deviennent rouges. À cet instant, j'avais moins de salive et il faisait chaud dans ma tête. Je n'en veux pas aux douaniers qui font leur boulot, mais à ceux qui le font trop, comme si on devait les prendre pour des cons.

«Are you carrying any firearms?»

Mother fucker d'enculé, que je me suis dit! Non, je chasse avec un batte de baseball!

«Yes.»

Je n'ai pas voulu répondre «yes, sir» parce que ça devenait cynique et il le savait.

«I have a Winchester 30-30 model 94. And the state permit for big game as well, wanna see it?»

Il n'a répondu que d'un hochement de tête négatif parce que la douane canadienne n'avait rien à foutre d'un permis de chasse américain que je n'avais d'ailleurs pas.

«Can I see some ID», qu'il a demandé en tournant la tête et en me regardant pour la première fois, il me semble.

Homme moyen, humain moyen. Anonyme comme la majorité des cent milliards d'humains qui ont vécu jusqu'à présent. En sortant de ma poche un petit paquet de cartes retenues par un élastique, je savais ce que je cherchais. Une à une, j'ai passé la carte de crédit, la carte d'étudiant, la carte de guichet, le permis de conduire, l'assurance sociale… jusqu'à cette carte bleue avec ma photo dans le coin gauche, et sous l'entête: Communauté Mohawk Community, Canada. Il l'a prise, a lu mon nom, Marc S. Morris, et m'a dit: «Welcome to Canada», puis m'a rendu la carte sans me regarder, pas de sourire, pas de colère. Affaire classée.

Je suis revenu sur mes pas par la 9 jusqu'à Kennedy, en Saskatchewan, et j'ai filé franc est, vers le Manitoba. Wawota – Elkhorn – Rivers – Rapid City, et Brandon au sud.

On avait fait l'amour le premier soir et elle avait gardé les yeux ouverts. Perdu d'avance. C'est seulement maintenant que je le sais. L'ordre des choses est mal foutu, même si ça finit toujours par avoir un sens. C'est le principe moteur de notre univers et des horoscopes : l'anticipation est une volonté aussi puissante que sa réalisation et sa réalisation sera toujours appliquée à son anticipation. Du moment donc que l'on s'y réfère simplement, on y trouvera toujours une confirmation de soi.

On ne peut pas regarder une femme dans les yeux quand on fait l'amour, si on n'a pas l'intention de rencontrer ses parents.

Petit motel à Brandon. Je ne l'avais pas cherchée. Mère monoparentale d'une fillette de sept ans. Elle-même fille d'une monoparentale francophone abandonnée comme elle par son mari en apprenant sa grossesse. Elle était ingénieure forestière mise en congé forcé par une roséole qu'avait attrapée sa fille, et normalement elle aurait dû me croiser sur le chemin du parc Riding à la seconde même où cet ours s'y était engagé deux jours plus tôt. Il y a des coïncidences qui ne s'inventent pas et qui de toute façon demeurent incroyables.

Vingt-sept ans. Moi vingt et un. Nelly, qu'elle s'appelait. Elle avait déjà vu Montréal. Des relations existent simplement parce que le destin, ou ce qu'on ne comprend pas de la vie en direct, se manifeste. Nous nous sommes croisés au poste d'essence. Deux regards qui savent. Nous nous sommes revus au resto local. C'était une belle fille, osseuse et quand même bien roulée. Anguleuse avec formes. J'ai cru, avant de les toucher, que ses seins étaient faux, même si je n'en avais jamais touché. Les chances de tomber sur une ingénieure avec de faux seins, 150 kilomètres à l'ouest de Winnipeg, en 1991, devaient être bien faibles. J'étais déçu, pour une raison de curiosité anthropologique.

Nous avions passé une nuit, une journée et une partie d'une autre nuit ensemble. Après une trentaine d'heures, je crois être passé à un cheveu de la marier. Elle ne le saura jamais, parce que j'ai cavalièrement décampé quand j'ai senti qu'elle voyait un peu plus loin. Ou peut-être que c'était moi. Je commençais à détester l'expectative de ma race ; je me prenais de haine pour les choses prévisibles comme l'amour, la famille et les rôles sociaux qu'on nous impose. Évidemment que j'avais aussi gardé les yeux ouverts. C'est beau de se regarder comme ça, de croire à plus grand, de croire que parce qu'on se regarde dans les yeux, ce sera plus vrai. Et pourtant. Les plus grands crosseurs que j'ai rencontrés vous planteront leurs yeux dans les vôtres. Le regard qui fuit dit toujours plus de vérités que celui qui confronte.

Je l'avais revue au local diner de Brandon. Elle était aux toilettes. J'ai cru que je m'étais trompé de porte de W.-C., mais elle utilisait celle des hommes parce que sa fille Megan était dans celle des femmes. Les femmes pissent toujours en même temps. J'ai poussé la porte, elle a juste dit «busy», et moi, surpris, en français, «désolé». Et la voix derrière de répondre «pas de quoi».

Je suis resté debout devant la porte à l'entendre pisser. À lui voler un petit bout d'intimité. Sourire. Sourire réponse. «Le siège est chaud», qu'elle a dit sans me regarder en sortant rejoindre sa fille qui enfilait son manteau. Elle avait laissé le siège couvert de papier de toilette, dans un effort d'hygiène tout féminin.

J'avais pris le spécial du jour : Fish and chips. Infect : dans une huile plus qu'usée, on faisait cuire des pommes de terre de mauvaise qualité et une morue parvenue au milieu du continent on ne sait trop comment ni quand.

C'est en sortant qu'elle a tendu la perche.

«You must be here for hunting, en pointant mon pick-up.

— Amongst other things, que je lui réponds.

— As-tu un permis pour les femelles ?»

Ma réponse ne venait pas. Je réfléchissais à l'autre sens auquel elle ne pouvait pas ne pas penser aussi. Je ne disais toujours rien quand cette fraction d'éclair nous a surpris. Pas de mots. J'avais compris. Question piège, j'imagine. Si je disais que je ne chasse pas la biche, elle comprendrait mon refus, et si je disais que oui, je passerais pour un plouc : des biches à quatre pattes, il y en a partout et ça ferait de moi un con de chasseur. J'ai souri en baissant les yeux, et ça disait beaucoup.

La première fois, nous n'avions pas joui. Ni elle ni moi. Respect? Gêne? Maladresse, inquiétude? À y repenser, je crois qu'elle aurait pu y parvenir, car elle avait dit doucement «I wanna climb on you». Je ne sais pas pourquoi, mais elle n'a jamais «climbé» sur moi. Je n'ai pas compris tout de suite que c'est en chevauchant qu'elle jouissait. Le métier. Et sans détour nos excitations se sont stabilisées jusqu'à l'arrêt des mécaniques. Je saurai plus tard que se faire chevaucher par une femme qui veut jouir est un privilège qui réveille en moi l'amant, le mari, mais aussi le voyeur et l'acteur d'un film porno. Cette distance si chère aux hommes et qui fait défaut aux femmes.

Je me souviens du monologue d'une héroïne de Shakespeare dans *Much Ado About Nothing*: «Vu que dans leur pudeur les filles disent non pour faire entendre oui à ce qu'on leur propose.» Argumentaire de base partagé à la fois par le violeur et le héros romantique.

La lumière de la lune nous faisait des ombres. Nous étions sur son lit. Moi couché, elle assise le menton posé sur ses genoux ramenés contre son corps. Elle avait dit, dans un français soudain approximatif, que c'était la première fois qu'elle couchait avec un homme rapidement. C'est cette nuit d'octobre 1991 que je suis devenu un homme pour quelqu'un. Elle avait dit «homme». La première fois que j'ai ressenti le vertige d'un adulte. Vingt et un ans. J'ai dû rire pour cacher combien sa remarque me causait autant de peur que d'euphorie. Je n'aurais jamais deviné cette intention d'amour, si ce n'avait été de son invitation à venir prendre un café «and talk a bit» chez elle. Je regrette de ne pas avoir lu Shakespeare avant.

Nelly. Je n'ai pas su quoi dire quand je l'ai quittée.

Yekathsnenhtha'*
Ke'entie**

J'ai repris la route vers le sud. Vers le bas de la carte, sur mon atlas Philips. Ligne droite jusqu'au milieu du Dakota du Nord, encore. J'ai retraversé la frontière à un poste libre. Aucun village, ni d'un côté ni de l'autre. Rien qu'une pancarte : Entering the United States of America, land of the free. Et puis des consignes à respecter si on a de la drogue, des armes, des espèces menacées : se rapporter aux autorités compétentes si on croit enfreindre la loi. Évidemment.

J'ai appelé ma mère d'une cabine en faisant le plein d'essence. Elle croit que je suis à Montréal et ne me pose aucune question sur le lieu.

« Ohnensto enioshen'ne o'harasheha***.

— Je ne peux pas, pas demain... oui... je t'appelle en rentrant. »

---

   * Chute vers le bas.
  ** Vers le sud.
 *** Manger une soupe de maïs demain soir ?

J'adore la soupe de maïs, mais je préfère sa soupe à la tête de saumon.

Sud. Dunseith – Rugby – Harvey jusqu'à Steele. Au compteur : trois cent quarante et un kilomètres. Quatre-vingt-dix degrés à l'est. Jamestown jusqu'à Fargo. Et un autre trois cent quarante kilomètres vers le nord, douane canadienne à Pembina. Note pour recette : suprême d'oie sauvage, glace de viande et petits fruits pimbina. Arrivée à Winnipeg, Canada. J'ai pensé à Nelly pendant les 1675 kilomètres de ce U.

Nous nous sommes revus à Winnipeg. Je l'ai rappelée en arrivant, d'un Holiday Inn d'autoroute. Les avions passaient au-dessus de ma tête. Sans attendre. Elle a pris deux jours de plus. Brandon est à quatre-vingt-dix minutes de Winnipeg. «Wanna come to Brandon?» qu'elle a d'abord demandé. «Désolé, je ne peux pas revenir sur mes pas», que je lui ai dit. «Je te raconterai.» Et puis on a refait l'amour pendant deux jours complets, ne sortant que pour bouffer un peu et racheter des condoms. Une fois que je l'avais pénétrée, elle disait toujours «Gotta put your raincoat». Du calme, tout est sous contrôle. Elle avait ce «clic» que seules quelques-unes possèdent : une fois au bout, en redonnant un petit coup, on a l'impression d'avoir un autre centimètre de profondeur. Ça fait comme «clic».

Ça me chauffait drôlement sur l'os juste au-dessus parce que, comme elle jouissait en me chevauchant, ça a fini par laisser des traces. Je n'arrivais pas à tenir une seconde de plus. Elle aimait que nous jouissions ensemble. C'était romantique, j'imagine. Je détestais.

Premier matin, nous sommes encore au lit et on entend le bruit du journal livré sur le pas de la porte. Elle se lève, t-shirt usé et petite culotte. C'est la première fois que je la vois de dos. Érection. Elle veut lire. Moi je veux lui rentrer dedans de toutes mes forces. La défoncer.

«Fucking jerks, qu'elle soupire entre les dents.

— Quoi?» je dis, machinalement, parce que j'ai une marée de sang qui afflue au milieu du corps. J'avais bien entendu le pluriel du «jerkssssss», tout en sachant que je n'avais rien fait de mal. Mais quand on est un homme né au vingtième siècle, il y a toujours une culpabilité associée à toute relation avec n'importe quelle femme. Comme un chip électronique installé à l'usine. J'ai la main sur mon sexe. Une marée basse dans la tête.

Et c'est là que j'ai appris que mon ours pesait 350 kilos. C'est aussi là que j'ai su que nous aurions dû nous croiser sur ce chemin forestier, quatre jours plus tôt.

Rendus dans l'auto. «Come on, Nel», on laisse la poussière retomber et on se reparle. Elle avait les yeux pleins d'eau quand j'ai refermé la portière. Un peu plus et elle me demandait si c'était de l'amour.

À TIRE-D'AILE

Un pick-up Dakota bleu deux tons a traversé quatre fois la frontière, sans destination apparente. La trajectoire du véhicule, du parc du Mont-Riding jusqu'à Winnipeg, quatre jours plus tard, forme un ensemble de lignes visuellement reconnaissables et compréhensibles dans un alphabet occidental. La première lettre est un F et la seconde un U. 1790 kilomètres.

Ma mère mohawk a légalement fait de moi un Indien d'Amérique. Un fantôme du passé. Titre que je n'utilise qu'en de très rares occasions parce que, comme ma mère a quitté la réserve pour épouser un Blanc, légalement mon sang indien s'assèchera avec moi. Pas de privilège pour ma descendance, à moins de retourner vivre dans la réserve. Jamais. La réalité identitaire la plus juste serait celle du sang d'une société déclinante qui implose doucement sans que personne n'en fasse cas. On a caché la décadence dans les sous-sols des banlieues. Derrière deux télés, des divans, des entrées de garage, des parcs d'enfants et des centres d'achat avec stationnements. Des millions de stationnements. L'asphalte est un mirage de progrès. Tekatkennyer[*].

À l'été 1990, j'étais de ceux qui bloquaient le pont Mercier à cette Amérique blanche de banlieue avec une poignée de Warriors américains qui ne comprenaient pas vraiment pourquoi ils s'étaient masqués et portaient

---

[*] Défaite.

des fusils d'assaut sur un pont enjambant le Saint-Laurent, à défendre une cause en apparence morale. La communauté mohawk est iroquoise. Les Iroquois sont historiquement des Indiens sanguinaires en guerre avec les autres tribus, principalement algonquiennes. Mais ce n'est pas ce sang rouge qui me fit prendre conscience de ma véritable nature, c'est plutôt d'avoir compris que la nature humaine est échafaudée sur une morale lâche et totalement indépendante du bon sens. La révolte publique d'un homme cache toujours des raisons secrètes, les véritables.

Ce n'était pas à cause d'un club de golf ou de la violation d'une sépulture ancestrale mohawk que j'avais pris les armes, mais bien à cause de ma haine envers ce continent et ses valeurs capitalistes, son hypocrisie religieuse et sa surconsommation.

Je garde précieusement une photo du *New York Times* de moi où je tiens une pancarte sur laquelle il est écrit en rouge : Aiontakia 'tohtahrho[*]. L'Amérique s'est autoconquise par les armes et, depuis cette victoire incestueuse, elle ne cesse de s'exporter. Je suis né en 1970, « in the fall of the 10 000 days war ». Je suis encore plus américain qu'un Américain. J'ai grandi les armes aux mains, dans la bouche, dans les yeux et je suis né en état de tueur.

Au fond de moi, un désir souterrain de conquête commence à déborder. À vouloir dominer. Mais cette entrée en conscience provoquera des tremblements : deux plaques tectoniques appuyées l'une sur l'autre. Quarante degrés Celsius de révolte. Et les secousses prennent diverses formes, quelquefois inquiétantes.

---

[*] Aliéner quelqu'un.

On m'a fait croire que l'individu était plus important que sa masse. Que le salut de l'âme passait par une course au bonheur. Je déteste l'idée du bonheur. On dit que le cerveau humain carbure au sucre. Le bonheur est un édulcorant. Un succédané.

On veut violer mon information génétique. L'Amérique est un virus. Je suis un frisson. La fièvre est une résistance.

À l'automne, j'allais commencer des cours de cuisine à l'Institut d'hôtellerie, avec la très limpide intention de devenir un chef vedette et de faire du fric. À l'époque, le mannequinat était partout. La mode à la mode. Les filles maigrissaient. Pendant que la vraie vie, en coulisse, devenait obèse, l'anorexie paradait en première page. Des fillettes en femmes. On les voyait partout élevées au rang de vedette par une société d'apparat. Je me masturbais devant un poster de Claudia Schiffer. Il m'a fallu un an pour comprendre que la vie est facile : faire de l'argent c'est facile, baiser des femmes c'est facile, vouloir être le bon gars de service n'a rien de compliqué, mentir est un art, «imposter» la vie était aussi d'une facilité trop évidente. J'ai eu le vertige. J'ai cherché des tabous qui tombaient sitôt trouvés. J'ai excellé à l'école. Les rebelles et les undergrounds ont tous fini mainstream, sauf deux ou trois groupes de musique punk dans les sous-sols de Brooklyn. L'espoir aussi. Le nouveau continent de parking et d'asphalte m'a déçu. Je lui en veux. Blasé à vingt et un ans. J'ai décidé de le prendre en main. Tant qu'à se laisser autodétruire, j'allais aider et participer à cette réalisation.

L'explosion est spectaculaire. L'implosion est plus dévastatrice parce qu'on ne la voit pas. Comme le cancer.

Peut-être le crime le plus grave est-il encore de tuer un autre homme. Mais à voir la publicité positive qui entoure les criminels, j'en ai douté. À la fin de ma première année de cégep, en fait au début de ma deuxième année, je me suis acheté un atlas bleu et vert, un Philips. Page 9, on voyait ce continent, du sud des United States jusqu'aux Territoires du Nord-Ouest. J'ignore pourquoi, mais les cartes topo m'ont toujours fasciné. Je le traînais dans mon sac à dos. Avec ses millions de lieux et de coordonnées, j'ai moins le sentiment d'être perdu. Même le nowhere est cartographié. C'était avant Google Earth, mais après un cours sur la viande. Coupe, cuisson, fond, déglaçage, demi-glace, glace, service.

Denise, une fille très bien avec qui je couchais mais que je n'aurais jamais épousée à cause de son prénom, m'avait dit devant un café styrofoam que je manquais de courage et tout le baratin d'une fille de dix-huit ans qui croit qu'elle va fonder une famille, avoir des enfants et être toujours amoureuse, même veuve. C'est là, en l'écoutant me parler de ses envies, ou plutôt de celles d'une société, que la haine anesthésiée s'est réveillée. Pas de questionnements, Denise, fais comme les autres, le modèle est si simple quand il est unique. Manque de courage, qu'elle avait dit. J'avais peur, avait-elle ajouté. J'avais cru trébucher sur mon orgueil, mais ce qui affleurait soudainement du sol n'était pas une question d'hormones, ni de fierté, plutôt le manche en bois d'une hache. Je l'ai déterrée.

Il arrive que le virus gagne et fasse croire au cerveau que l'aspartame est un sucre.

Comme je ne savais pas quoi dire ni quoi répondre à ces affirmations, justes, je le sais maintenant, mes mains, ne sachant que faire elles non plus, ont sorti l'atlas et un stylo bleu de mon sac. Pendant qu'elle me regardait en silence, accusatrice, la bouche pincée, j'ai tranquillement tracé un gigantesque FUCK YOU qui partait de la Saskatchewan et dont le dernier U se terminait quelque part dans le Saint-Laurent près de Montmagny. Et je le lui ai montré en me levant. Je suis parti et je ne l'ai jamais revue. C'était la première fois que je laissais quelqu'un. J'étais le méchant. J'ai conservé l'atlas.

Il y a toujours eu un feu à l'intérieur. Quelquefois il a été amoureux, d'une fille au secondaire, d'une peluche. Ou alors c'était un feu de bravade, d'opposition, de course automobile. Une autre fois, un feu nourri d'espoir humain. De l'injustice nord-sud. Des mensonges sociaux à propos d'égalité. J'ai cru mille fois l'avoir éteint. Mais les cendres restaient si chaudes qu'à la moindre brise il se rallumait.

J'ai lu alors tous les livres du monde en croyant qu'ils étaient des bornes-fontaines. Proust, Hemingway, les Russes déprimés, García Márquez, Borges, Kundera, Flaubert, et même *La mort* de Maurice Maeterlinck : «La mort! c'est encore elle seule qu'il faut consulter sur la vie, et non je ne sais quel avenir et quelle survivance où nous ne serons pas. Elle est notre propre fin et tout se passe dans un intervalle d'elle à nous.»

À part quelques-uns, les livres sont des mirages.

Le deuxième dieu que j'ai adoré a été l'intervalle. Le premier que j'ai aimé volontairement. J'ai cru au temps. Que toutes les choses du monde ne relevaient que du temps. Je t'aime, tu m'aimes... le temps nous le dira. Paraît qu'il arrange tout. Du point A au point B. Le temps est l'espace qui sépare tout de la vérité.

J'ai tracé le C et le K du FUCK en trois jours. Enfin, une bonne partie du K, parce que je me suis arrêté à Chicago avant de le terminer. J'imagine que ce n'est pas très grave.

À Chicago, on retrouve un des deux meilleurs marchés de poissons frais de tout le continent. Jamais rien compris à ça. Peut-être à cause d'une demande aiguë. Pour le poisson frais, il y a New York, Chicago et le Japon. Tout le reste, dans le meilleur des cas, aura douze heures de fraîcheur en moins, aussi bien dire un monde. Je me suis fait engager comme aide-cuisinier dans un restaurant japonais appelé Sea. Une journée complète, j'ai eu un vrai job. J'avais prétendu être déjà diplômé. C'était avant les sushi bars à tous les coins de rue. Les murs du Sea étaient en réalité de gigantesques aquariums où l'on pouvait voir nager son futur repas. Voir sa bouffe en vie allait devenir une mode dans les restos branchés cinq ans plus tard. Au début, la moitié du monde trouvait l'idée grossière, mais, comme la vie est bien faite, ces gens n'y venaient pas. Les autres si. La liste des réservations et le resto étaient toujours remplis. On choisissait son poisson avec son serveur et un employé venait le «pêcher» avec un filet. «This one, sir?» et il partait vers la cuisine, le poisson frétillant dans un cul-de-poule, une main dessus une main dessous.

À la fin de mon quart de travail, le seul en réalité, et comme il est de coutume dans les bons restaurants, les employés de cuisine ont pu se faire à manger.

Je m'étais lié, par le regard du moins, à une aide-cuisinière nommée Eugenia. Dix-neuf ans, née en banlieue de Détroit d'une mère américaine et d'un père yougoslave joueur de hockey pour l'équipe nationale, passé à l'Ouest lors du tournoi de 1972. Elle m'avait raconté brièvement son origine entre deux émulsions – qui m'avaient d'ailleurs valu d'être engagé sur-le-champ – et son poste à la station de montage d'assiettes. Alors que le service tirait à sa fin et que le staff commençait à se monter des plats, j'avais vite compris qu'un climat de compétition s'installait dans la cuisine entre les aspirants et leurs monstrueux ego de chefs-to-be. Le patron, à demi japonais, n'était plus dans la cuisine à faire son spectacle. J'avais demandé à Eugenia de m'aider. J'avais une idée.

Chaque fin avril de toute cette enfance passée pendant les week-ends sur la réserve, chez ma grand-mère, nous allions à la pêche à la barbotte sur les petits affluents du grand fleuve Saint-Laurent. «Rends-toi à la mer par les petits affluents», a écrit Thomas d'Aquin à propos de la connaissance, avant de devenir saint. À pied donc, canne de bambou, un hameçon simple et un pot de gros vers de terre. Deux seuls critères: que le soleil ait fait disparaître les glaces et que le fond du ruisseau, ou de la petite rivière, soit vaseux. On s'installait sur les berges, et ce paresseux poisson, cousin du fameux catfish, mordait à tous coups. Poisson gras à chair rouge et peau foncée. Grosse tête, des moustaches et deux ardillons pointus derrière la tête, qui injectent une substance engourdissante à une main imprudente. Tellement laid de face qu'après quelques secondes, il devient beau. «Le beau est laid», a écrit Baudelaire, et il avait raison. Quelle chair! Tôt en saison, juste après le calage des lacs, donc avant le goût de vase, c'est une chair très fine. Les Japonais ne mangent pas de poisson-chat. Je ne le savais pas et je n'allais pas tarder à l'apprendre. Ils ont plutôt un respect immémorial pour ce poisson domestiqué, car son agitation soudaine et inusitée dans l'aquarium annonce invariablement un séisme ou un tsunami.

Et voilà certainement le poisson le plus difficile à tuer qu'il m'ait été donné de pêcher. Je me souviens des heures passées sur des berges de foin à regarder du coin de l'œil toutes ces gueules s'ouvrir et se fermer inlassablement. Après les avoir éviscérés, les voir bouger et ouvrir puis fermer la bouche d'un même rythme lent. «C'est les nerfs», disait ma grand-mère devant mon visage ébahi de sept ans qui observait la scène en essayant de comprendre la mort. Comme si les nerfs n'appartenaient pas au cycle de la vie. Est-ce que j'aurai ces minutes de sursis une fois mort? Est-ce que, de la mort, je pourrai encore parler quelques minutes?

J'ai plongé le filet dans un aquarium et attrapé sur son fond le seul poisson-chat que je voyais ici et qui, il me semblait, avait échappé au menu et au four de ce soir. J'ai été rapide et personne n'a fait de cas de cette chair que je travaillais à présent. Eugenia souriait, sans doute ignorait-elle aussi que le poisson avait un nom. Mis à part le repas des employés, nous avions aussi droit à un verre de vin ou à une bière.

Eugenia faisait partie de cette race de femmes qui, après un verre de vin, perdent deux côtes de chaque côté, celles juste au-dessus des hanches. Le milieu du corps se cambre, les fesses sortent, les seins avancent et montent. Sexe. Deux côtes perdues par verre d'alcool.

J'ai d'abord levé les deux filets avec une précision chirurgicale en me servant d'un couteau japonais qui venait de chez Korin à New York, au bas mot trois mille dollars, je ne voulais pas toucher les viscères. Pendant qu'Eugenia tranchait l'un des filets en morceaux de sashimi, j'ai fait sauter l'autre moitié, enrobée de graines d'anis, de graines de sésame et de fleur de sel, dans l'huile de colza que l'on appelle à tort canola. Mais toute la grâce venait d'ailleurs. Dans une grande assiette allongée, sur un lit de glace broyée, j'avais posé le reste du poisson, le squelette, la tête, la colonne, les arêtes, les viscères, les nageoires, et recouvert encore le tout de glace broyée, prenant soin de modeler grossièrement la forme originale du poisson, laissant dépasser la tête et la queue. Sur ce montage glacé, Eugenia avait disposé les morceaux de sashimi, saupoudré de cerfeuil frais, et servi le filet chaud en accompagnement sur une autre assiette. Et nous avons commencé à manger. Au début, personne ne disait rien, mais la rumeur s'est quand même rendue jusqu'au chef. Lorsqu'il est arrivé près de nous, traversant un petit attroupement fasciné, nous mangions tranquillement la chair d'un poisson qui vivait toujours et qui ouvrait et fermait la bouche au même rythme que nous. Il a ralenti presque dix minutes plus tard, et la bouche est restée ouverte dans un dernier spasme.

Elle sentait bon. Elle me dira plus tard qu'elle ne portait pas de parfum, allergique à cet alcool de base dont ils sont constitués. Je l'avais tout de suite remarquée en entrant dans la cuisine du Sea, ce soir d'octobre. On sait toujours assez rapidement où ces choses vont nous mener. Dans la nature, la plupart des mammifères savent aussi très vite ce qu'il adviendra d'une rencontre. Et, dans la majorité des cas, le mâle, disons un mâle mature, cherchera à transmettre ses gènes à autant de femelles que possible. À quelques différences près, somme toute infimes, nous leur ressemblons encore. Il y a longtemps que l'homme s'est éloigné du mammifère : depuis l'invention des religions dans une sombre caverne ennuyeuse alors que nous étions encore couverts de poils. Ou peut-être est-ce depuis l'invention du biberon en plastique ? Le mâle, donc, s'approchera d'une femelle, la suivra, la sentira et parlera aussi, on suppose, en vue d'en mesurer la réceptivité. Au bout de l'exercice, la femelle donnera, ou non, son accord.

Eugenia m'avait donné le sien quelques minutes après mon entrée. D'abord un regard soutenu une trop longue fraction de seconde et, par la suite, dans la cuisine, elle m'avait frôlé deux fois, dont une en pressant nonchalamment ses seins sur mon bras droit alors qu'elle m'apportait une assiette pour que j'y dépose une émulsion de clémentine sur des huîtres-shooters. Plus tard, une jambe m'avait effleuré encore une fois une petite seconde trop longtemps. Début d'érection à cause de je ne sais quelles phéromones ou réactions chimiques. Comme les particules contraires d'un atome, nous nous chargions rapidement d'une énergie qui allait bientôt nous attirer l'un à l'autre.

Avant que le chef, Bill Shan, ne s'aperçoive que j'avais grillé la mascotte du resto, j'avais eu quelques conversations avec le staff en cuisine. Ils savaient tous que cette barbotte catfish allait me valoir des problèmes. Jeff, le second, m'avait même prévenu de faire très attention, que Shan pouvait péter les plombs. Je m'attendais à donner et recevoir des coups. Quand il a vu, il a demandé qui avait fait cela. J'ai répondu « moi ». Il a demandé si le poisson avait survécu longtemps. « Assez pour qu'on ait le temps de manger les filets », que je lui avais répondu. « You're fired », qu'il avait seulement dit. J'apprendrai des années plus tard que c'était devenu un plat vedette dans un restaurant très branché de Chicago.

Je me suis retrouvé chez elle. On a marché trois coins de rues avant de se retrouver dans un bel appartement, au troisième étage d'une maison de ville en briques, authentiquement victorienne, que manifestement son seul salaire ne pouvait permettre. Elle avait dit, en m'entendant penser : « The house belongs to my parents, they live on the ground floor. »

Elle était assise sur un sofa pâle. Il faisait encore bon dans le Midwest en cette fin d'octobre. Je me souviens du bruit des voitures et d'une fenêtre ouverte. Elle avait des sandales en cuir brun de type mule. Des sandales DKNY. J'ai vu la marque parce qu'elle les laissait pendre une à une à tour de rôle sur ses orteils, croisant et décroisant les jambes. Un pantalon de coton rose à mi-mollet et une chemise de soie blanche ajustée et déboutonnée assez intelligemment pour laisser voir un début de courbe : 34B. J'allais plus tard le lire sur l'étiquette d'un soutien-gorge laissé, ou oublié volontairement, sur la cuvette de ses toilettes. Imaginer la couleur des draps ou l'épaisseur des oreillers. Le désir est un poison sucré. Même du bout de la langue, c'est un poison. Mes yeux soupesaient ses seins à travers la soie. Si un jour je tue un homme, ce sera pour lui couper une main et la lui coudre sur un œil.

«Are we gonna sleep together?» Ses yeux étaient fixés dans les miens.

Ne pas broncher, ne rien laisser paraître, penser au pôle Nord, à ces phoques que l'on assomme au bâton avant de les saigner, un hakapic, pour faire des sièges d'avion de leur peau. C'est pendant ces longues secondes qu'elle a craqué, m'a-t-elle dit. J'aurais été prétentieux de dire oui et un non aurait signifié ce que je ne voulais pas. Je l'avais cru directe, enchantée, fonceuse. Elle m'avouera plus tard combien elle était nerveuse. Et avant que j'aie l'air trop con, elle s'était levée en prétextant une crampe à la jambe. Libéré de son piège avant la douleur finale.

De la grâce. Je suis désailé. Faut m'achever.

C'est alors que j'ai craqué à mon tour. À partir de là, on sait. On ne sait pas quoi encore, mais on sait. Dans le bas du ventre, une locomotive se met en route. Tchou-tchou. Après un long baiser, couché sous elle, elle sur moi, j'avais écarté sa petite culotte par derrière et j'avais risqué un doigt lent sur son sexe chaud et glissant. Les yeux se sont fermés, la bouche a cessé d'embrasser et des murmures sans mots sont sortis. On a fait notre truc jusqu'à la fin. Elle serrait les jambes autour de ma taille avec tant de force que je me suis senti désiré. J'en ai vite eu assez et j'ai voulu l'avertir que j'allais venir, je suis quand même un bon garçon. Je m'attendais à un «let go» de sa part ou à «it's okay», alors que c'est le contraire qui s'est produit. Elle s'est même tortillée en baissant les jambes et en criant «get out, get out». J'ai éjaculé aussitôt sorti d'elle, sur son ventre, et je lui ai rempli le nombril. Couchée, repue, elle souriait dans le vide comme une folle. Quand même.

Je suis parti après le petit déjeuner, après le *Chicago Tribune*. En l'embrassant je lui ai laissé de fausses coordonnées.

Avant de quitter Chicago qui ne voulait pas de moi et terminer mon K jusqu'à Grand Rapids, j'ai voulu enrichir ma vie culturelle. Deux choix s'offraient. Le Art Institute of Chicago avec ses Velasquez, ou *Robin Hood, Prince of Thieves* avec Kevin Costner, annoncé partout dans la ville.

Le musée était plus près. Je n'étais pas préparé et l'on devrait nous avertir du danger. J'avais toujours voulu voir de visu le célèbre tableau *Les Ménines*, mais il avait été prêté à un musée européen et, à sa place, une petite reproduction cartonnée témoignait de son emplacement. C'est en quittant cette salle que j'ai vu pour la première fois de ma vie la grandeur humaine : *La Pietà* de Tiziano Vecellio. Le Titien. Une œuvre presque carrée. Sa dernière, celle avec laquelle il voulut échanger sa mise au tombeau à la très convoitée église Santa Maria Gloriosa dei Frari, à Venise. Le tableau avait été prêté par la Galeria dell'Accademia. Chef-d'œuvre du patrimoine mondial qui ne sort d'Italie que deux fois par siècle. La mise au tombeau du Christ après la descente de la croix. Quiconque est Occidental, de près ou de loin, reconnaîtra le Christ inanimé dans les bras d'une femme, la Vierge. Mais c'est l'autre femme qui attire l'attention : Marie-Madeleine en femme enragée.

Je ne la connais pas encore. Elle viendra. Ma Marie-Madeleine. Elle ressemblera à celle du Titien et je croirai en elle.

Pour la première fois de ma vie, je sentais mes jambes devenir étrangères. J'ai dû me rappeler de respirer avant d'être assailli par une force inconnue. Une envie de croire, comme la soif en été. Une tentation. Est-ce que ça pourrait être moi, ce corps presque nu, inanimé, entouré d'un monde réel et symbolique ?

Je n'ai encore rien profané. Je ne suis pas cet homme aux mains et aux pieds percés. Je ne suis pas le Christ. J'ai longtemps cru que je l'étais, mais je sais aujourd'hui, depuis tous ces miracles que je ne fais pas, que je ne le suis pas. La déception a fait place à l'amour. Je crois.

J'ai reculé devant cette œuvre jusqu'à la sortie de la pièce, des kilomètres plus loin, jusqu'à ce banc au milieu de la salle suivante et sans lequel je me serais écrasé au sol, tétanisé par quelque chose que je ne connaissais pas. Mon an zéro. Je croyais qu'elle serait brune aux yeux pâles. Vive. Belle et forte comme la nuit. Faudrait attendre encore un peu. Mais elle viendrait, ça je le savais.

C'est à partir de là, le 30 octobre 1991, que j'ai voulu avoir la Foi. Habité par cette phrase de Maeterlinck que j'aimais, mais dont je n'avais aucune idée de la portée jusqu'à ce jour : « La grandeur de l'homme se mesure à celle des mystères qu'il cultive ou devant lesquels il s'arrête. » Vœux pieux. Mon mystère sera de savoir quoi ou qui j'aimerai.

Dᴇᴜx ᴀɴs ᴘʟᴜs ᴛᴀʀᴅ.

Je suis sous la douche. Je bois l'eau chaude du jet et je pisse en même temps. J'ai toujours pissé dans la douche. C'est le seul endroit où je n'ai pas besoin de viser ni de tenir ma queue. Des fois une odeur chaude, âcre et épicée remonte à travers la vapeur et l'eau.

Je viens de quitter le Grand Séminaire de Montréal où j'étudiais depuis mon retour de Chicago et je m'en lave. Je ne deviendrai jamais pape. J'aurais fait un beau et bon pape, je le sais. J'avais sept ans quand Jean-Paul Ier est mort et que Jean-Paul II est né. Qu'il était beau et imposant, cet homme en blanc! Propre, une aura de vedette rock. Le style des hommes de foi – les vrais – est extraordinaire. On dirait des extraterrestres tant ils sont uniques. Je ne serai pas eux. Il y a des choses que l'on sait et contre lesquelles on ne peut rien. Et puis j'ai du sang d'Indien d'Amérique, des siècles sépareront toujours les colonisés des conquérants.

Le groupe américain Bad Religion vient de lancer le disque *Recipe for Hate*. Musique de dissidence qui condamne et justifie une haine naissante envers l'Amérique. De l'intérieur. On a aussi tenté de faire tomber les tours jumelles du World Trade Center en faisant sauter une bombe dans les étages souterrains. Je m'y serais pris autrement. Et j'aurais réussi.

J'ai d'abord été contraint à la résignation avant de comprendre plus simplement. Je n'ai plus cette foi corporative qui fait gravir. Ou plutôt, il y a une limite à la vraie foi. Elle est fragile dans mon cas. La vie est si bien faite, par moments. J'avance tel un crabe, en tangente.

Dans le cas du deuxième Jean-Paul, j'ai cru qu'il l'avait. Pas moi. C'est probablement mon premier autosabotage. Je ne savais pas encore qu'existait en nous notre propre destruction. Les postes de contrôle, même le plus concret, ne seront pas pour moi. Et puis, à vingt-trois ans, je croyais toujours être en mesure de me marier et de vivre comme dans les brochures sur le bonheur, alors que mes allégeances et aspirations religieuses ne le permettraient pas. Ou plutôt, si. Je pourrais toujours continuer en cachette d'éjaculer sur et dans les femmes, alors que ma morale ne s'y ferait pas. J'ai envisagé de m'excommunier, mais un pape protestant, ce n'est pas demain la veille. Et puis j'ai déjà pissé dans un bénitier, et puisque j'allais devoir m'en confesser, j'ai préféré garder cet outrage pour moi. Au fin fond de l'histoire, nous sommes ainsi faits pour invariablement toujours trouver notre compte partout. Dans le bonheur ou la misère pour certains, et dans un mouvement de va-et-vient entre les deux pour d'autres. Entre l'indifférence et la dévotion. Depuis que les excuses sont devenues des raisons, l'humanité avance comme un homme saoul qui explique ses erreurs par l'ivresse.

Un jeune homme à la mi-vingtaine, cheveux à peu près roux, avance sur le trottoir qui longe la cathédrale Marie-Reine-du-Monde et entre par l'arrière dans un immeuble qui devrait être la sacristie, mais qui est en fait le diocèse de Montréal. Il regarde sa montre, marche dans le grand couloir gris en terrazzo, à travers les odeurs de poussière humide et de cire brûlée du deuxième étage, longe une enfilade de hautes portes avec des impostes, toutes semblables. Il cogne à l'une d'elles, entend probablement une réponse et y entre.

— Monseigneur Vecellio.

Monseigneur Vecellio s'est levé. Homme blanc d'origine italienne au teint presque nordique. Il est allergique au soleil et une carrière ecclésiastique se prêtait mieux à cette condition que celle de lifeguard, par exemple.

— Monsieur Morris, entrez donc. Votre ponctualité vous a toujours honoré, jeune homme. C'est une marque d'humilité qui fait malheureusement défaut à plusieurs.

Il s'est retourné après un échange de poignée de mains. Il y a maintenant deux ans que nous en étions convenus : aucune révérence à son titre et à cette bague de Prince de l'Église qu'il portait. Il regardait dehors, toujours debout, et il a dit d'une voix quand même joyeuse, car il savait la raison de ma venue : « Alors ? »

Mais je n'ai pas répondu tout de suite.

À la fin du K, dès mon retour de Grand Rapids, début novembre 1991, et malgré la session déjà commencée, je m'étais inscrit au séminaire. Exit la cuisine. Toute la patente. Le plus sincèrement possible, je croyais dur comme fer que j'allais devenir prêtre, père, abbé. Assigné à deux ou trois paroisses rurales, j'écrirais et me ferais connaître du haut clergé, mes patrons. Théologie, étude des Écritures, apprentissage du latin. Éléments, syntaxe, méthode, versification, belles lettres, rhétorique, philo I, philo II…

On m'avait assigné un vieux père capucin, bien sympathique mais déconnecté, qui heureusement mourut juste avant Noël. La vie est bien faite, me dis-je encore en apprenant sa mort. J'avais commencé à lire Calvin plus sérieusement et j'étais obsédé par la polarisation de mon existence entre le Bien et le Mal, convaincu que ce concept pourrait expliquer la compréhension que je me faisais de l'humain à travers ma toute petite personne et ces épisodes de grâce et d'irrespect qui me guidaient sur un trajet jusque-là abstrait.

Cette inscription au séminaire confirmait que ma pensée ne pouvait trouver refuge que dans les extrémités du balancier. Le milieu n'avait aucun intérêt : il n'était jamais immobile. Me rappelant la vieille horloge de ma grand-mère d'où un petit coucou de plastique et de plumes teintes aux couleurs impossibles sortait pour crier les heures, je voyais bien l'inutilité du milieu : la pesée qui balance n'a rien à faire du centre. La distance entre la gauche et la droite tient et anime le temps. On me couchait quand sept coucous avaient sonné et je revois à travers la porte entrouverte cette maison d'oiseau avec des aiguilles et des chiffres dont je ne comprenais pas le fonctionnement. Je savais que plus j'attendais, plus il y avait de coucous. Huit, neuf, des fois dix. Je croyais qu'il crierait ainsi sans s'arrêter, jusqu'à un infini de coucous, comme quand je demandais à ma mère jusqu'où l'on pouvait compter. Le lendemain matin, sans faire d'histoire ni même y repenser, j'entendais l'oiseau refaire le même nombre de cris que la veille. J'avais cinq ans. Il y a là une appréhension du temps que je ne résoudrai jamais.

Pape un jour. Dans cette ascension que je souhaitais, je m'imaginais même en missionnaire au tiers-monde pendant quelques années, pour marquer des points de charité et apprendre une ou deux langues exotiques. Des Pope miles. On savait déjà à l'époque combien la ferveur catholique était vive en Amérique latine. Calvin et la dualité toute simple de l'esprit humain. Jusqu'à aujourd'hui encore et toujours entretenue aussi bêtement par le cowboy et l'Indien, Superman et les méchants de la planète Krypton, l'Alliance et les forces du mal de *Star Wars*. J'étais dans l'erreur, comme la majorité des philosophes contemporains. Il sera à jamais impossible de nous définir aussi simplement. À moins d'y voir un avantage. Comme l'Amérique.

Calvin fut donc expédié. Been there, done that. On m'avait rapidement mis sur la route de l'évêque Vecellio, qui lui s'était acharné sur la période manichéenne de saint Augustin.

J'ai beaucoup aimé les hasards. Ils m'auront presque toujours donné raison. Encore aujourd'hui, une carte postale de cette *Pietà* de Tiziano Vecellio est scotchée sur mon frigo. Dans la même année j'ai rencontré deux Vecellio. Les coïncidences sont impossibles à réfuter et ça m'a toujours rappelé combien l'inutilité de la poésie est importante. On se met d'accord : les rimes ne servent absolument à rien de rien, et pourtant on les aime.

L'œuvre plus que tricentenaire du peintre Vecellio et cette rencontre avec un évêque qui portait le même nom faisaient la plus absolue des rimes. Qui plus est, j'avais d'un coup aimé cet homme parce qu'il écrivait en secret un ouvrage sur le culte du masculin dans les œuvres religieuses du Vatican. Les hommes toujours nus, et les femmes toujours absentes des tableaux, sauf la Vierge, elle, toujours vêtue. «Phénoménale manipulation et propagande du pouvoir masculin», disait-il. Il m'avait fait lire son imposante thèse de plus de sept cents pages illustrées, sur laquelle il travaillait depuis son poste d'adjoint au secrétaire de l'apostolat, fin mil neuf cent soixante-neuf. De l'art étrusque aux grandes croisades, des conquêtes coloniales aux commandes spécifiques de cet Empire, la plus riche et la plus imposante collection d'art de la planète se trouve au Vatican. Et toute collection a une ligne directrice. En citation d'ouverture, cette phrase que l'on prête à Goebbels, ministre allemand de la propagande du IIIe Reich: «Si vous répétez un mensonge souvent et assez longtemps, il finira par devenir une vérité.»

Je ne me répéterai pas assez souvent avoir la Foi. Je crois encore qu'elle doit venir. Ainsi m'est venu l'amour pour Emma. Et s'il le faut, même à cent ans, qu'elle frappe telle la foudre ou qu'elle s'immisce à la manière d'une moisissure, je la respecterai et lui rendrai grâce.

Comme à Emma.

Sur la route du retour de Grand Rapids, en transit par Chicago. J'avais fait une pause en bordure de l'aéroport O'Hare. C'est là que j'avais eu ce que je croyais être un second signe. Thanksgiving 1991, des millions d'États-Uniens en migration familiale. Ces habitants d'une Amérique que je commençais à détester.

Une file d'attente d'appareils sur le tarmac et une fascinante enfilade d'avions dans le ciel en attente aussi, enlignant la piste d'atterrissage. Pendant que je regardais ces petites croix flottantes qui s'approchaient de la piste 270, j'avais cru avoir la foi et que, du coup, ma vie serait enfin simple. Monothématique. Consacrée. Enfin. Consacrée à une seule idée, un seul concept, un seul but. La quête d'un pardon, même si j'ignorais encore la faute. Il me semblait facile de n'avoir qu'un unique but : que ma situation financière soit du coup réglée, que cette consommation naissante des femmes n'ait été qu'un bref moment d'égarement. J'aurais cherché à ne plus douter. Que l'on me dicte ma tâche humaine, ma mission, sans surprise. Que les vendredis après-midi soient toujours plus heureux que les lundis matin. Fuck la job, fuck le boss. Je serais normal.

J'aurais aimé être un prisonnier, consentant la semaine et en permission le week-end. En médecine, je serais devenu un spécialiste de clinique, sans doute un urologue. Jamais d'urgence, sur consultation et rendez-vous seulement. Des petites interventions propres, presque pas de sang, dans l'ambiance calme et feutrée d'une clinique privée. Du lundi au vendredi midi. Un souper avec des amis les samedis, pour justifier l'alcool. Les dimanches de gueule de bois comme les salles de réveil des hôpitaux après une intervention.

J'ai aussi longtemps pensé que la vie d'éboueur serait simple et parfaite. Au lever du soleil, on s'habille, on grimpe derrière un camion pendant huit heures pour y empiler des tonnes d'ordures et, à la fin de la journée, on rentre à la maison, on se déshabille, on mange puis on écoute la télé jusqu'à ce qu'on s'endorme avant de recommencer le lendemain. Un rêve. Mais, toujours cet écho de lucidité, j'aurais sans doute compté les sacs et j'aurais maudit la surconsommation. Jusqu'au jour où un ami d'enfance – éboueur de métier – a constaté un soir, en rentrant à la maison, devant le téléviseur une bière à la main, que ses boxers grouillaient de petits asticots blancs. Les vers blancs, ça va, mais c'est quand ils deviennent des mouches que ça ne va plus, parce qu'elles se reproduisent en d'autres asticots blancs et que la survie d'une race que je considère inutile me rendra fou.

Mon épiphanie devant le tableau à l'Art Institute de Chicago avait déclenché en moi l'admiration du beau. Je voyais du beau partout : dans l'urbanisme, dans le ciment, dans les yeux anonymes et même dans un sandwich sec. Le syndrome de Stendhal. Un déséquilibre et une remise en question complète. Et tous ces avions, dans une gigantesque et lucide improvisation contrôlée, provoquèrent à leur tour un état de grâce que j'avais interprété comme un appel de foi éternelle. « Mais l'éternité, c'est foutrement long », a dit Woody Allen, je crois.

Cet appel allait durer deux ans.

« Alors ? »
Il fit une pause.

«Qu'avez-vous donc de si grave à m'annoncer aujourd'hui?»

Puis il a pris place, m'invitant de la paume droite à faire comme lui, sur la vieille chaise italienne du début du siècle provenant de la maison Biri Grande, en cuir usé, seule relique d'une origine noble passée ailleurs. En attente. En silence. Un immense miroir derrière lui me renvoyait mon image, fière et courageuse dans cette défaite.

Nous aurions pu nous séparer ici même. Il avait compris, je le savais, et il savait aussi cela. Je croyais à ce moment que ça ressemblait étrangement à une rupture amoureuse. La situation ne commande alors plus de mots, mais un automatisme nous fait quand même parler. Aujourd'hui, avec le recul, je sais que c'était une relation amoureuse. Qu'un homme peut aimer un autre homme.

J'ai le plus profond des respects pour ces gens qui devinent sans avoir à subir le flot des mots inutiles. Ces mots maladroits qui se fixent telles des traces de boue sur un plancher propre, qui deviennent ces phrases surréelles entre deux amants qui ne s'aiment plus ou même les condoléances inutiles d'un chagrin. Je savais que la mécanique administrative de mon retrait-abandon du séminaire ne l'intéresserait pas. Une seconde, deux, trois et puis une bonne minute s'écoula sans que, d'une part ou de l'autre, il y ait de mouvement. Une longue minute de quatre-vingt-dix secondes.

On peut faire disparaître une érection en contractant les jambes.

C'est moi qui brisai le silence.

«Je veux avoir la foi, Pietro (on se vouvoyait, mais je l'appelais par son prénom), mais ça ne vient pas.

J'aimerais être comme vous et accepter comme une nécessité, comme un miracle cette expression, j'aimerais ne plus avoir de questions, tuer les doutes de mon esprit et avancer tout droit sur une seule route.»

J'ai hoché la tête et j'ai expiré doucement par le nez.

«Ça m'écœure de ne pas l'avoir, j'ai cru que cet engagement concrétiserait le peu de véritable foi que j'ai déjà.»

Une seconde, deux secondes, trois secondes.

«Mais je ne peux pas l'avoir à temps partiel.»

Il n'a pas répondu, peut-être vérifiait-il si l'écho de ce que j'avais dit répéterait la même chose jusqu'au silence. En sourdine, on entendait la rue et ses bruits.

Compris. Capiche. On passe au suivant. Il me semblait avoir appuyé sur la détente d'un fusil.

«J'aurais un service à vous demander, Marc.

— Oui, Pietro.»

Sans avoir envisagé l'effort que ce service commanderait ni la forme de souvenir qu'il prendrait un jour et qui survit encore aujourd'hui.

«J'ai un ami allemand du temps de mes études à Munich qui voudrait aller à la chasse. J'ai évidemment présumé qu'il vous ferait plaisir de lui faire voir quelques oiseaux. Ç'est une vieille promesse.

— Mais la chasse aux oiseaux migrateurs est fermée.

— Je sais. Est-ce que ça pose problème?

— Non, évidemment.»

Je n'ai pas souri, mais il me semble m'être retenu. Rendez-vous demain matin quatre heures trente devant chez vous, Pietro. Ainsi fut réglé mon engagement envers l'Église.

Le lendemain. Bang. Bruit sourd sur le fond d'un ciel cobalt.

Le soleil allait se lever. Le noir vire au bleu, juste avant que le jour ne prenne. Des petites croix virevoltaient en tous sens, se posant devant nous, par centaines. Des sarcelles. Leur sifflement et leur affleurement de l'eau les annoncent bien avant que nos yeux les voient. Un des plus beaux coups de fusil à faire au vol. Je regardais flotter la douille vide, encore chaude et fumante, sur le bord de l'étang.

J'ai chuchoté :

« Monseigneur Maastzinger. »

Mais j'aurais pu tout aussi bien crier parce que le coup de fusil du cardinal, sans m'avertir, m'avait sonné, frappé par un TGV. Je n'avais qu'un iiiiiiiiiiiiiiii strident à tue-tête comme bruit ambiant. Et une odeur de poudre à canon brûlée. Enivrante et réconfortante.

« Monseigneur, on ne tire pas les sarcelles d'été à ailes bleues, elles sont interdites de chasse cette année. »

Mais je ne le lui disais que pour la forme, dans un geste nerveux, parce que j'avais été déstabilisé par l'acuité visuelle de mon compagnon de chasse. De toute façon, toute chasse était illégale à cette époque de l'année. Il faisait encore nuit.

« Je sais. » Bang bang, qu'il répondit, épaulant et tirant deux coups encore suivis du plouf sourd de quelque chose qui tombe à l'eau.

Les deux petits canards, désailés, flottaient sens dessus dessous à environ quatre mètres de notre abri. Un oiseau mort qui flotte sur l'eau ressemble étrangement à une serviette de bain qui traîne au sol. Bang, bang. Une autre sarcelle à ailes bleues.

Ainsi se sont terminés mes ordres. Avec un cardinal venu à Montréal en vacances et qui voulait absolument chasser. Il ressemblait à l'empereur du Mal dans *Star Wars*, les mêmes yeux et ce regard volontaire des hommes qui n'entendent jamais non. Je n'allais pas les décevoir ni l'un ni l'autre. Exactement trois minutes quarante-quatre secondes plus tard – j'avais parti mon chrono –, dix-neuf cartouches vides flottaient à côté de nous, treize sarcelles à ailes bleues et une seule à ailes vertes.

« C'est assez, jeune homme, vous tirez merveilleusement bien, je n'en ai eu que la moitié », dit-il dans un français très clair en posant une main sur mon avant-bras gauche, près de la montre sur laquelle je regardais les secondes couler. On a ramassé les oiseaux, les cartouches vides, et c'est avec un tableau de chasse royal que nous sommes rentrés à Montréal.

Le lendemain soir, je fus invité en ma qualité d'ancien apprenti chef, et maintenant d'ex-homme d'Église, à préparer les sarcelles de notre chasse pour Pietro et Maastzinger. Sarcelles laquées de Pékin. Comme le célèbre canard chinois, mais adapté au terroir. C'est au champagne que l'on reçoit et s'inspire, un Krug grande cuvée. Six petites sarcelles à ailes bleues, braconnées. On ne les vide pas, c'est criminel d'enlever le goût des viscères au gibier à plumes. Ébouillantées une fois pour bien séparer la peau de la chair et les plumer plus aisément. Pendues à l'air ambiant pour que la peau sèche complètement. C'est le secret du canard laqué. Ensuite seulement, on retire les intérieurs qui, perforés de petits plombs, ont déjà commencé à sentir et à parfumer la chair. Une fois les sarcelles vidées, on ne les rince pas. Je les ai fourrées d'un oignon, d'un céleri et d'une carotte, ainsi que d'une bonne tasse de sucre d'érable, j'ai enfourné à découvert quatre-vingt-dix minutes et badigeonné la peau de sirop d'érable, dans lequel j'avais concassé des baies de genièvre sauvage, toutes les dix minutes. Le résultat est un spectaculaire vernis ambré et luisant qui forme une mince croûte caramélisée sur une peau rendue croquante.

J'ai fait des bouchées avec la peau du canard qui se pèle comme une orange. On doit badigeonner une petite crêpe de riz de sauce hoisin à laquelle on ajoute du concombre émincé et de la ciboule finement hachée. Un ou deux morceaux de peau de canard et on roule le tout.

Nous n'avons pas reparlé de ma «défection», mais plutôt de la recette de tête fromagée de la mère du cardinal Maastzinger, pour qui, mis à part les dents et l'os du crâne du cochon, tout y passait. Même chose chez nous que je lui ai répondu, mais avec l'orignal.

Plus de deux ans après le début de son pontificat, je me suis souvenu de cette drôle de conversation que nous avions eue ce soir-là sur l'existence de Dieu telle qu'elle est imposée par l'Église chrétienne.

Maastzinger :

«C'est en se basant sur leur propre compréhension de l'humanité que les hommes se sont créé une image de Dieu. Comme dans une entreprise, modèle admirable de croyance et de dévotion, la structure fonctionnelle de notre Dieu est constituée d'un chef, de vice-présidents, de directeurs, d'employés, d'un produit mis en marché et de gens qui achètent ce produit. Ce sont à la fois la limite et la logique propres de l'esprit humain que de s'en remettre à la mystique. Rien n'y fait. Et depuis Pie IX en 1870, la papauté est devenue infaillible. N'avez-vous pas d'ailleurs un boulevard ici même à Montréal ainsi nommé?»

Il mord dans sa crêpe roulée et il reprend, la bouche pleine.

«Et c'est bien ainsi. Beaucoup plus simple que de chercher à savoir pourquoi, par exemple, ce moment présent est précieux parce que ce repas est délicieux. Si on ne s'attardait qu'à vouloir comprendre et envisager le présent, nous serions constamment en retard sur l'avenir et incapables de nous projeter ailleurs. Pour avoir la foi, jeune homme, il faut voir loin et éviter les doutes.»

Il fait une pause. Puis continue.

«Il faut toujours exiger le meilleur de tout. Repas, vins, amitiés, foi comprise. La conformité d'une moyenne est la pire atrocité humaine qu'il m'a été donné de voir. Le diable, s'il existe (il lève les yeux au plafond), c'est de ne plus exiger de soi qu'un minimum confortable. Trouvez ce que vous êtes et soyez-le.»

Ce fut là son seul commentaire sur ma décision. Loin du doute, comme une couleuvre sur une route, je comprenais que l'on ne peut rien répondre à la Foi, et que c'est peut-être justement sa force que de n'offrir aucune solution de rechange à sa défaillance. Qu'importe, c'était et c'est toujours une admirable démonstration de l'esprit humain que de vouloir expliquer ce qui ne peut pas l'être.

Moi :

«Si tout était si justement parfait, n'aurions-nous pas plutôt automatiquement cette foi? La couleuvre qui veut traverser la route doit plutôt s'élancer à la vue du danger lorsqu'une voiture passe devant elle. En misant ainsi sur son départ, elle aura plus de chances de passer entre deux voitures que si elle attend que la voie soit libre et arrive précisément au milieu du chemin en même temps que la voiture suivante, non?»

Pietro :

«Alors il faut qu'il y en ait une qui guide les autres au péril de sa vie. »

Maastzinger :

«Une qui comprenne le rythme de la route et puisse venir en aide aux autres, et ainsi de suite. »

Moi :

«Tous ne sont donc pas habilités à traverser la route?»

Maastzinger :

«Absolument pas. Il n'y a aucune égalité entre les âmes, et la Foi en est la justice. La Justice a été inventée par l'homme sur la base d'un principe égalitaire. La Foi est égalitaire par sa Raison. »

Je ne pouvais rien répondre, paralysé. Cette conversation se tenait à un niveau supérieur au mien. J'aime essayer la cour des grands. Je l'ai fait à l'école primaire, et au secondaire. À quelques occasions avec succès, et à d'autres moins. C'est d'ailleurs là que j'ai appris que le silence me donne raison, neuf fois sur dix. Il a repris :

«Mais votre problème est tout autre, jeune homme. Vous comprendrez un jour que la Raison n'entre pas en conflit avec la Foi, mais la complète. »

Il a vidé son verre.

«Saint Thomas d'Aquin n'a pas juste été misogyne, il a aussi écrit de grandes choses sur la conciliation de la Raison et de la Foi. Soyez patient et disponible, votre conscience existera entièrement dans le temps présent.»

Cette idée m'étourdissait. Je n'avais pas l'énergie pour embarquer dans une réflexion dense et j'ai préféré me taire en remplissant les verres de vin. J'étais comme un homme saoul qui le sait : ne pas ouvrir la bouche parce qu'elle est molle et me trahira.

Derrière Vecellio, sur un meuble en teck, posée sur un pied, une photo de lui attablé, discutant avec Jean-Paul II. Comme un trophée, je me suis dit. Je déteste les trophées. J'ai continué d'écouter, plutôt d'entendre, en fixant le cliché. Maastzinger savait que ses paroles portaient.

Il a bu une autre gorgée de Saint-Vivant 1990 de la Romanée Conti, ils ont fait 24 026 bouteilles cette année-là. Et il a conclu :

«Saint Augustin avait presque raison, sauf sur la question du péché originel. Je soupçonne le péché de n'en être un que pour les hommes.»

Pietro semblait silencieusement d'accord. Je n'allais commencer à comprendre que des années plus tard. À mon grand soulagement, nous avons poursuivi le repas en discutant d'actualité, d'huile d'olive et du meilleur smoked meat de Montréal.

Pour la suite du canard laqué, j'ai découpé et fait resauter la chair avec du brocoli et des échalotes dans un authentique wok chinois, sur un feu de charbon de bois, ce qui a parfumé ainsi le mélange et s'est mêlé agréablement à l'odeur des épices que je ne connaissais pas. Je faisais sauter la bouffe, mes mains sentaient encore le canard sauvage frais et, dans la vapeur de cuisson, je revoyais Émilie, la veille, chez elle, les genoux au sol, le ventre à plat sur le divan.

Elle avait gardé son chemisier parce qu'elle avait honte d'avoir de petits seins, je crois. Du caviar.

Nous faisions l'amour. La télé en fond d'ambiance. Au *Téléjournal*, en reprise, un reportage sur un coup de filet de la GRC chez les Mohawks de Kanesatake. Contrebande de cigarettes. Chez moi.

Mais je n'ai plus entendu le reste parce qu'elle s'est relevée d'entre mes jambes et s'est agenouillée face au divan. La voir de dos, le cul cambré. À peine quelques minutes après l'avoir pénétrée, j'avais dû fermer les yeux parce que je n'aurais pas pu durer. Je ne lui voyais pas les yeux, que les mèches brunes de ses cheveux humides, les bras au-dessus de la tête. Et cette odeur de sexe : menthe, poivre, coriandre, mélange de sel marin, de varech, d'herbes salées. Il y a encore en moi des millénaires de bestialité. Mon esprit regarde un cul ou une poitrine de femme et des réactions physiques se produisent. Au cégep, j'ai lu Françoise Dolto, Barbara Steinheim, Simone de Beauvoir. Rien à faire. La connaissance volontaire et l'idée de l'intelligence n'ont rien à chier de la mémoire cellulaire, ou de ce que l'on découvrira bientôt : l'instinct biologique.

J'étais bandé et beaucoup trop excité. Fallait penser à autre chose : combien de kilomètres indique l'odomètre du pick-up ? Comment est-ce qu'on affûte les bons couteaux ? Je ne savais pas que le Liban était un si petit pays. Israël et Gaza, fils d'Ève. Est-ce que les gens qui font le catalogue Sears savent combien la section des sous-vêtements féminins a formé les jeunes garçons et les hommes de plusieurs générations ? Il paraît que le dentifrice est en fait une escroquerie qui favorise plutôt la carie dentaire. Le bois du cèdre est imputrescible. J'ai toujours cru qu'avant les années 1960 la vie était en noir et blanc.

Et je suis sorti d'elle un instant pour respirer. Elle faisait des sons que je décodais suppliants. En voulant retourner en elle, j'ai mis plus de force et j'ai écouté. Elle n'a pas dit non mais a gémi, la bouche fermée. De sa main, elle s'est tranquillement mise à pousser et à tirer ma cuisse à son rythme. En me voyant en elle, à cet instant, des gouttes de sueur, belles comme un fumet de viande, dans le creux de sa colonne, je me suis senti comme un mammifère tout-puissant. Dans une rage d'agressivité dirigée, je l'aurais défoncée par bonheur et, quelques secondes avant d'éjaculer, j'ai vraiment voulu la demander en mariage. Deux minutes plus tard, je n'en avais plus envie. Désolé, Émilie, c'est pas toi, c'est moi. C'est une autre que je veux épouser. Surtout quand je ne suis plus bandé. Je suis retourné chez moi en prétextant l'urgence de préparer mes affaires pour la chasse du matin avec Maastzinger.

Avec la carcasse restante du canard, j'ai fait un consommé en faisant bouillir les os avec oignon, céleri et sel, que j'ai servi très clair dans un bol, en fin de repas.

J'avais choisi d'étudier Calvin, d'approfondir sa pensée, mais c'est plutôt sur saint Augustin, son prédécesseur, que j'ai construit tous mes doutes et ces deux années de séminaire. «Si je me trompe, c'est que j'existe.»

Cette pensée qui dit que l'homme ne peut se sauver lui-même. Celle qui affirme aussi que l'homme est incapable de se libérer seul des sollicitations de la concupiscence. Le désir est-il condamnable? Et Freud dans l'histoire, il arrive à quelle heure?

Pietro Vecellio, dans toute sa grandeur, avait en lui une faille: c'était un extraordinaire paranoïaque qui voyait des complots partout. Et puis, comme pour tous ces soupçons non vérifiables, je crois aujourd'hui qu'il avait presque toujours raison. «Il n'y a pas plus d'humanité aujourd'hui qu'au début de la préhistoire.»

Avec beaucoup plus de monde.

À TIRE-D'AILE

Des dizaines de gens font la queue sur un trottoir, devant un commerce. Des couples, des célibataires. Jeunes et vieux, mélangés. Certains discutent et d'autres patientent en silence. Dans la file d'attente devant Chez Schwartz's, charcuterie hébraïque sur le boulevard Saint-Laurent à Montréal, un homme d'Église seul s'effondre, victime d'un malaise. Rapidement des passants l'entourent et lui portent assistance. Il se relève de lui-même en chancelant.

Nous étions en 1993, le cardinal Maastzinger allait quitter Munich et devenir cardinal-évêque de Velletri-Segni, avant d'être nommé gardien de la doctrine de la foi du Vatican. Il s'est remis d'un petit accident vasculaire cérébral, mais sa vue en est restée affectée. Il n'est plus jamais allé à la chasse.

Trois ans plus tard. Je cherche toujours. Je trouve peu, car je cherche trop.

J'ai repris la route du FUCK YOU. Je suis à la gauche du Y en haut, tout près de Sault-Sainte-Marie, dans cette petite ville ontarienne où les habitants ont brûlé des drapeaux du Québec l'an dernier, lors du référendum de 1995.

Plus précisément, je suis sur une petite île appelée Saint Joseph Island, dans un canal au nord du lac Huron, North Canal. Les Hurons ont toujours été les ennemis des Iroquois et des Mohawks. Je ne ressens presque plus cette coexistence belliqueuse qui a hanté quotidiennement mes ancêtres durant des siècles. Peut-être y a-t-il lieu d'en déduire qu'une paix éventuelle au Proche-Orient est envisageable? Les peuples fondateurs de l'Amérique furent aussi des voisins guerriers depuis le début des temps. Au vingtième siècle, ils ont compris qu'en s'associant ils obtiendraient davantage de la colonisation blanche. Mais les colons ont tout pris. Ma terre à moi, vampirisée par l'empire. Tu me portes et j'ai honte de fouler ton sol. Je préférerais te survoler.

Fin octobre, il fait froid et la pluie ne vient pas du ciel mais latéralement, presque à l'horizontale, car il vente fort. Tout près du centre géographique du continent, du Midwest américain, entre deux chaînes montagneuses, les prairies donnent au vent des milliers de kilomètres pour prendre son élan. Ici les nuages ne se vident jamais du ciel mais bien de l'ouest.

J'ai fait tellement d'argent pendant les trois dernières années avec la contrebande de cigarettes que je m'en suis dégoûté. Plus d'objet de désir.

Les compagnies étaient complices. On était informé du départ des camions de livraison de l'usine que des gars d'Akwesasne volaient facilement en faisant un signe de main au chauffeur, contre des pots-de-vin à quelques cadres de l'usine aux USA. On achetait la cargaison pour une bouchée de pain au gars qui s'occupait de «sauter» les camions, Big Dan, il pesait 345 livres. Juste en face de Cornwall ou à Saint-Régis, sur le lac Saint-François, vis-à-vis d'Akwesasne donc. Et on apportait les cartons de cigarettes par speedboat de nuit à Sainte-Barbe et à Saint-Anicet au Québec, avant de les revendre à gros prix à des clients intermédiaires, ou à des Blancs, directement sur la réserve.

J'ai eu quatre voitures en moins de trois ans, dont une Ferrari Modena 360, dotée d'un moteur vitré. Un tape-cul raide et sec que j'ai revendu comptant au gars à qui j'ai refilé mon affaire de tabac. C'est philosophiquement une caisse impossible à conduire parce que l'envie des autres se transforme en une familiarité que je commence à détester. À tous les carrefours, des gens se précipitent et veulent te parler, t'incitent à faire tourner le moteur et à démarrer en trombe. Tous les jeunes hommes à casquette veulent courser, c'est inscrit dans l'histoire de l'humanité depuis Ben-Hur jusqu'à la Formule 1, en passant par le premier tricycle que l'on enfourche à deux ans. Pendant quelques mois, j'ai fréquenté une fille qui se peinturait les ongles en rouge Ferrari. Ceux des orteils aussi. J'ai eu peur. Je l'ai laissée.

Je suis devenu misanthrope en ressentant l'admiration des autres. Une fois prise la mesure de cette hiérarchie humaine, j'ai voulu me diviser. Je ne voulais pas appartenir à cette caste puissante et matérielle. Voyant combien pouvaient être fausses les raisons d'une femme à vouloir se faire aimer, j'ai voulu en aimer une véritablement. La Ferrari, dans mon cas, valait bien la *Somme théologique* de saint Thomas d'Aquin, ce même saint qui a légué à l'Histoire un ouvrage intitulé *Du statut inférieur de la femme*.

Six vitesses, 420 chevaux-vapeur et 300 kilomètres-heure plus tard, j'ai vingt-six ans et j'ai trouvé un autre pick-up Dakota 1987 dans une cour à scrap du boulevard des Laurentides, à Laval. Mille huit cents dollars. Ça me rend heureux. J'ai vendu ce qui se voit : maisons, bateaux, voitures et autres trucs à essence. J'ai tout placé dans une compagnie qui fabrique des semi-conducteurs à Ottawa, en blanchissant mon fric dans les maisons de change, à l'époque contrôlées par des banques étrangères qui n'étaient pas assujetties aux déclarations obligatoires d'argent en espèces. Il n'y a rien d'illégal aux actes qui ne le sont pas encore.

Au coin de Peel et Sainte-Catherine, mon argent de papier devenait une donnée électronique qui transitait par les îles Caïman avant de revenir ici remplir un compte canadien de titres de compagnies publiques en bonne et due forme. Moyennant une commission de 3,74 pour cent, j'ai «transféré» pendant 41 journées de suite la somme de 40 000 dollars. Très légalement. Cette façon de procéder fut découverte quelques mois plus tard et une loi en cours d'adoption allait bientôt rendre obligatoire la déclaration de tout mouvement d'espèces totalisant 10 000 dollars et plus. J'ai toujours été juste au-devant des lois que j'avais choisi de respecter.

J'ai été le dernier passager d'un manège. Le dernier client que l'on sert.

À l'aube du nouveau siècle, sur papier, j'allais devenir vulgairement riche. Avant que tout ne s'effondre au printemps 2000. Mais, heureux dans la malchance, j'allais avoir déjà tout donné anonymement parce que je serais amoureux d'Emma.

Emma qui n'aimait pas les nappes. Elle en avait une haine féroce. «J'ai le droit d'être exigeante, c'est tout simplement fondamental», qu'elle me disait quand je la regardais enlever les couverts et remonter la table des restaurants où l'on mangeait, sans nappe. Je souriais. Je lui aurais tout pardonné.

Le principe catholique de la culpabilité m'a beaucoup motivé. J'ai immédiatement aimé l'idée de la confession. Ça ressemble à prendre une douche. L'hygiène de l'âme allégée par l'aveu m'a permis de repartir à zéro des milliers de fois. Et la case départ est pleine d'espoir et de bonne volonté. Comme lorsqu'on dit «oui, je le veux». J'ai eu envie d'aimer comme quand on a faim. J'ai aussi eu cette envie de cuisiner pour les autres. Les projets sont devenus des procurations de bonheur. Des prolongations. Du temps supplémentaire. J'ai mis mon FUCK YOU sur la glace ces trois années. Aujourd'hui, j'ai repris.

À TIRE-D'AILE

Saint Joseph Island. Lac Huron. Les vagues font presque deux mètres. Une chaloupe. Un homme devant, un autre derrière. Ils sont penchés par-dessus bord et ramènent à la main un filet. De temps à autre, ils arrêtent, l'un d'eux se lève et harponne d'énormes poissons osseux à l'apparence préhistorique. Certains sont gardés, d'autres sont rejetés à l'eau. Certains regagnent le fond et d'autres flottent sur le côté.

Fin octobre, donc. Lac Huron. La pluie me pince comme des cailloux que l'on me jetterait à la figure. Si j'arrête de bouger les doigts, ils vont geler. Je suis penché par-dessus le bord de la chaloupe, retenu par un harnais d'alpinisme. Les esturgeons que l'on ramène dans nos filets tendus deux jours plus tôt font entre 10 et 90 kilos. Les plus petits, ceux que l'on nomme «maillés» parce que normalement ils passent à travers les mailles des filets commerciaux, sont rejetés systématiquement : ils n'ont pas d'œufs. Il m'arrive d'en garder un de temps à autre que j'envoie à ma mère, en souvenir de sa bouillotte de maillé qu'elle me faisait quand j'étais garçon. Les maillés du fleuve Saint-Laurent étaient généralement pris à la ligne sportive. Comme il était très rare d'en ramener un qui ne cassait pas tout l'attirail, mais surtout parce que c'était toujours un combat mémorable, c'était chaque fois la fête. J'en ferai un ce soir à Yolanta.

On ne garde que les femelles esturgeons. Il arrive que la chaloupe soit remplie et lourde, toute calée de plusieurs douzaines de poissons. Aujourd'hui, à cause du mauvais temps, on rentrera plus tôt pour extraire les œufs.

C'est dans un boathouse à l'abri des vagues et du vent, sur un tréteau de bois, que l'on recueille les œufs. La femelle esturgeon, facilement identifiable à son orifice de ponte, est déposée et tenue sur deux échafauds, au-dessus d'une chaudière à vache. On reproduit le frottement des graviers et cailloux sur son ventre et les œufs projetés sont ainsi récupérés. On a récolté plus de trois gallons, quinze litres.

Le liquide visqueux sera rincé, filtré et débarrassé de son tissu adipeux ainsi que de sa membrane, avant d'être légèrement recouvert de sel non iodé pour ne pas teinter de jaune les œufs. Nous n'en conservons que les petites billes gris-vert translucides. Plus le lac est profond et profite d'un fort échange d'eau, plus le caviar est bon. Les plans d'eau moyens et petits donnent un goût de vase aux œufs, et alors sa valeur chute. Voilà pourquoi nous pêchons ces œufs dans les Grands Lacs, dans une réserve faunique protégée : les frayères et les côtes de North Canal sont sur des lits de gravier.

Plus jeune, j'en ai pêché des centaines de livres sous le pont Mercier, à l'ouest de Montréal, en face de la réserve de Kahnawake. Personne ne le sait. Bon comme du russe. Peut-être même meilleur. L'étiquette de provenance, comme pour le vin, rend plus appréciables toutes les choses que nous connaissons déjà. C'est un principe de base. Une plus-value. L'expectative d'un événement rend celui-ci plus juste, même si c'est faux.

Et puis on emboîte les œufs dans des contenants de métal blanc qui ressemblent à des petites boîtes de cire à chaussures, que l'on envoie transiter par le port de Montréal, et qui portent la mention : Sevruga, Produce of Iran, Caspian Sea. De là, plus qu'à retraverser les Grands Lacs et les petits œufs se retrouvent sur les tables des hôtels et des grands restaurants du nord-est, Chicago, New York, Boston, Washington, Philadelphie. Chère Amérique. On aime la Perse à cause du caviar et du pétrole. Dommage qu'elle soit habitée. Si seulement l'Amérique se trouvait autant de pétrole, je fournirais le caviar aux nouveaux riches.

Yolanta est une cousine au deuxième degré. La fille du cousin avec qui je pêche les esturgeons. Je crois que son père sait que nous nous connaissons plus ou moins bibliquement. Il ne dit rien parce que, entre la volonté et l'imagination, l'imagination l'emporte toujours. Et il ne veut pas imaginer.

Je crois que je pourrais aimer cette fille. Je me suis sérieusement posé la question parce que je voudrais bien adhérer, finalement, à ce club sélect des gens qui se rencontrent, se marient, ont des enfants et vivent heureux. La dernière fois que je l'avais vue, elle n'avait que seize ans. Bien que mes désirs ne soient pas dictés par la légalisation d'un acte, je l'ai trouvée beaucoup plus affranchie et désirable à vingt-deux. Quand elle avait seize ans et les seins remontés à la gorge, l'idée de la savoir raide et nerveuse ne m'attirait pas. Alors qu'aujourd'hui elle a une grâce et des mouvements beaucoup plus fluides et sensuels. Je n'ai jamais couché avec elle. Nous avons échangé quelques caresses, rien de plus. J'aurais voulu en voir mon désir augmenté, mais non.

Il y a des vaches de la même race, du même taureau et de la même mère qui donnent quinze litres de lait par jour et d'autres qui en donnent quarante. Des races qui donnent du lait gras et d'autres du lait maigre. Il ne faut pas pousser et prendre ce qui vient, comme ça vient. Par bonheur, voilà une mécanique qui échappe encore à la science. De moins en moins, par contre, parce que les vaches sont maintenant sélectionnées selon la grosseur de leur pis.

Nous sommes entrés chez mon cousin avec notre caviar en petits pots, qui allait partir le lendemain matin pour Montréal, et un esturgeon maillé que je voulais cuire comme le faisait maman.

J'ai tranché le petit esturgeon en darnes épaisses, en gardant la peau, car le gras, donc le goût, s'y trouve attaché. Dans un immense fait-tout, j'ai mis les darnes, cinq gros oignons ronds, une dizaine de pommes de terre rondes aussi, six cuisses de poulet avec la peau, un litre de crème 35 pour cent, une livre de beurre, sel et poivre. J'ai couvert d'eau et laissé mijoter au moins deux heures et demie. Le résultat, aussi baroque que moyenâgeux, est spectaculaire. À mi-cuisson exactement, les peaux de poulet et de poisson se détachent et flottent.

Évidemment, Yolanta, qui nous a aidés à empoter le caviar, n'a pas la même facilité digestive avec la bouillotte que deux hommes qui ont relevé des filets remplis de poissons, dans la tempête, à quatre degrés Celsius. La seule chose plus grasse et indigeste qu'il m'ait été donné de manger était un millefeuille d'anguille et de foie gras que j'avais créé pendant un stage de quelques semaines chez Robuchon, en France, l'été suivant ma première et seule année à l'Institut d'hôtellerie.

En entrée, j'ai fait des blinis avec de la farine de sarrasin sur lesquels on a tartiné une crème délicatement fouettée et aromatisée au fenouil, avant d'y étendre un bon centimètre de caviar frais sur un autre centimètre de beurre pommade. Je n'ai toujours pas compris pourquoi le caviar est bon.

Yolanta m'a giflé. Elle s'est levée de sa chaise et s'est ruée sur moi en quelques millièmes de seconde. J'ai figé et elle m'a foutu la plus surprenante claque de ma vie. Je l'aurais embrassée de force. Je lui aurais pris la tête et la nuque entre mes mains et j'aurais approché sa bouche de la mienne. Pas longtemps, juste un baiser. Peut-être aurait-elle ouvert les lèvres. Peut-être aurait-elle été consentante et douce? Je ne saurai jamais, car j'avais l'œil gauche qui pleurait abondamment. Je venais de lui dire que, mise à part la politesse de deux ou trois minutes tout au plus, ça ne m'intéressait pas de faire quelque conversation que ce soit avec une femme que je ne voulais pas sauter. Exit, out. Mon blini et son caviar me sortaient par le nez. Yolanta criait «Bastard, stupid male pig. How can you be so juvenile» et tout plein d'autres injures que je n'arrivais pas à comprendre. Son père, le cousin de ma mère, riait à tue-tête, plié en deux, et criait en reprenant son souffle le nom de sa femme, la mère de Yolanta: «Semyhé.» Puis il repartait: «AAAAAGGGGGHHHHH! Semy AAAAGGGGHHH.»

N'empêche que je commençais déjà à l'époque à me demander si cette condition désirante durerait toute la vie. Qu'arrive-t-il après la castration d'un homme? La même chose qu'au poulet ou au cochon? Il ne pense plus au sexe et il engraisse? Je me souviens que ma mère castrait les petits cochons de lait quand nous en élevions sur la réserve. Elle tenait fermement le petit cochon entre ses jambes, à l'envers. Avec trois doigts de la main gauche, elle tirait avec douceur les deux petits testicules, et de la droite, avec une lame à raser de barbier, elle les coupait d'un coup sec et précis. Le cochon criait pendant une longue minute et puis plus rien, il poursuivait sa vie. Castré.

Je voyais bien qu'il m'était impossible de sublimer mes désirs, et ce, pour toute et n'importe quelle femme intelligente ou belle, ou les deux à la fois. Surtout. Je pensais ou je sentais que la beauté à elle seule ne tiendrait pas la route bien longtemps. Fallait plus. Il devenait obligatoire que le désir soit soutenu par une partie plus consciente et intellectualisée. Je me foutais de la savoir mariée, séparée, veuve, mère, heureuse ou non. À la base, un désir de conquête. Je devais avoir la conviction que je pouvais quitter la vie présente pour cette autre. Chaque fois. Et ça prenait beaucoup moins de deux minutes pour le savoir. Pas question de devoir uniquement éjaculer, ce qui, de toute façon, est plutôt facile et sans dérangement, mais bien de se savoir voulu et de sentir que j'avais été choisi. Peut-être Yolanta était-elle ainsi retenue par ces filtres invisibles qui nous épargnent bien des soucis et des tracas. Dans cette franchise qui me valut une main au visage, elle savait maintenant où logeaient mes sentiments. J'aime les situations claires. Surtout les miennes.

J'aurais trente-huit ans la première fois que je dirais à une femme qu'elle était belle sans la désirer.

Est-ce que tous les événements de nos vies sont liés? Comment la justice humaine fonctionne-t-elle? Existe-t-elle? Si, par exemple, je vole la marchette d'un vieillard, serai-je puni automatiquement par une instance morale? Je fais ici abstraction de la justice criminelle ou civile qui, elle, concerne plutôt le contrat social. Je pense plutôt à cette justice personnelle et flexible de chaque individu.

Qui règle les règles? Est-ce une affaire d'éducation? De karma? De religion? De croyance? Comment faire pour changer nos propres règles sans trop de casse? Je n'ai pas répondu à la gifle de Yolanta parce que j'ai jugé avoir été puni justement pour ce commentaire. J'ai été frappé pour l'avoir dit, non pour l'avoir pensé. Et puis je ne suis pas du genre à m'autoflageller, même si j'ai toujours admiré l'idée de se faire pénitence. L'autoflagellation, aussi tordue qu'elle puisse paraître parce que visuellement spectaculaire par ses sévices corporels, est un effort plutôt lucide de synchronisme entre ce que l'on croit correct et ce que l'on est vraiment.

Il y a les idées que j'ai d'un côté et celles que j'énonce de l'autre. Leur rencontre est rarement heureuse.

C'est dans la soustraction du véritable Soi, de ce que l'on voudrait être, que se trouve l'identité humaine. Son Identité. Plus la valeur tend vers le zéro, plus on est en voie d'être heureux. Je ne suis pas un braconnier par souci de vengeance ou par désir de faire le mal, mais parce que ma nature m'oblige à ne pas respecter les règles des autres. En vieillissant, je le saurai plus tard, on ne change pas : on devient de plus en plus ce que l'on est vraiment.

J'ai toujours aimé l'odeur de l'urine de moufette.

Fɪɴ ɴᴏᴠᴇᴍʙʀᴇ. Pas baisé Yolanta. Fin de la fraie des esturgeons. Je suis reparti vers le sud. Rudyard – St-Ignace – Mackinaw City – Vanderbilt – Gaylord – Grayling – Roscommon. La route 75. J'ai évité Détroit, la ville la plus criminelle de l'Amérique blanche, en faisant plutôt un détour de quelques kilomètres et d'une trentaine de minutes par Ann Arbor, la ville la plus bourgeoisement universitaire de l'Amérique blanche. Tant qu'à haïr, je me suis dit que j'irais là où c'est le plus laid : dans la banlieue riche et bien-pensante.

On vient d'élire un très jeune président, avocat, gouverneur de l'Arkansas, Bill Clinton. Cette petite ville vit à l'abri de la vraie vie, protégée par l'auréole de l'UM. University of Michigan. Célèbre pour sa faculté de droit où seule la riche élite blanche peut se rendre et parfois quelques membres des minorités, noir ou jaune pâle, qui devront montrer patte blanche.

Nous sommes à une cinquantaine de kilomètres de Détroit, une distance suffisamment grande pour s'insonoriser des paroles dissidentes d'un jeune rappeur, Marshall Mathers, Eminem. Et maintenant placardée sur la vitrine d'une boutique de musique, l'affiche de *From the Muddy Banks of the Wishkah* de Nirvana. Le deuxième disque du groupe depuis que Cobain est mort dans la plus belle des morts américaines, celle d'un complot présumé. Comme si l'empire ne pouvait se fonder autrement que sur l'assassinat de ses hommes de pouvoir qui ne meurent jamais comme le peuple. Luther King, les frères Kennedy. Et comme ce que l'on prédit à ce jeune président du sud qui n'a pas juste l'air intelligent. Pourquoi les gens de pouvoir ne meurent-ils jamais comme des cols bleus ?

Évidemment, on connaîtra par la suite cette fameuse pipe d'une stagiaire qui l'aura fait mal paraître quelques semaines, non pas parce qu'il aura été infidèle, mais parce qu'il s'est fait prendre. Pas si intelligent. Mais cette histoire est somme toute rassurante sur la nature humaine, même le roi du monde est comme nous. Ainsi la faille s'est-elle rendue jusqu'en haut.

J'ai voulu dormir à Ann Arbor. J'ai rencontré une fille, dans un greasy spoon. Je me suis assis au comptoir en laissant un banc libre entre nous deux. Comme la loi des urinoirs : si plusieurs urinoirs sont libres dans une toilette publique, on ne se place jamais directement à côté d'un gars qui pisse déjà. C'est la loi de l'impair. Il pisse dans le un. Tu laisses le deux libre et tu prends le trois.

Forcer l'amour, surtout avec les femmes, ça s'appelle un viol. Ce sont elles qui décident. Le consentement vient des seins. Les mammifères.

J'ai commandé deux œufs. La serveuse est partie quelques minutes puis est revenue avec les œufs

miroir. Je suis incapable de manger des œufs «baveux».
J'aime bien y plonger un doigt et faire glisser le jaune
et le blanc pas cuit entre mes doigts, mais je suis
incapable de manger du blanc d'œuf translucide.
Ma gêne naturelle me les aurait quand même fait
avaler. Je n'aime pas faire des erreurs, je n'aime pas
le reconnaître, ça m'écœure. Je les aurais enfilés en
me bouchant le nez de l'intérieur, en clignant des
paupières et en avalant sans rien mastiquer.

La serveuse a dû s'en apercevoir à mon air. J'ai la
nervosité apparente.

«You should have said so.»

Elle a repris l'assiette et j'ai souri : «Thanks you.»

C'est à cause de cette erreur de langage – le s n'a pas
d'affaire là, je le savais, mais j'étais nerveux de parler
en anglais ce matin-là – qu'Emma s'est tournée vers
moi et a murmuré : «Over easy.»

J'aurais aimé lui répondre. Rien. Mémoire effacée.
Faut éteindre la machine et repartir. Reboot.

«Saterihwaienstha ken*?»

Tout ce que j'ai trouvé à dire. Dans la langue du
berceau.

Elle n'a pas eu l'air surprise. Et elle a hoché oui de
la tête sans trop savoir ce que je lui avais demandé. Je
crois qu'elle a aimé ne pas comprendre. J'ai répété ma
question en anglais en lui disant que ça pourrait être
facile de la demander en mariage. À son tour de faire
une pause en silence. Puis elle a répondu que, dans sa
vie, elle avait dit beaucoup plus de fois non que oui. Je
lui ai aussi demandé si elle avait lu Flaubert.

---

* T'es étudiante ?

T'inquiète, si je t'aime un jour comme je m'en devine capable, je te ferai lire tous les grands classiques. Je t'en ferai même la lecture à voix haute les dimanches matin.

On a parlé le temps de manger mes deux œufs tournés, et non sunny side up. En fait, je l'ai écoutée me parler de son projet semestriel sur la bioéthique du clonage. Elle étudiait le droit à l'University of Michigan ; quatre mois plus tôt, en Angleterre, était née une brebis entièrement clonée et viable, Dolly. On a échangé nos coordonnées. Elle avait l'air plus ou moins intéressée. J'étais foudroyé.

Je me suis demandé ce qu'elle pouvait trouver d'intéressant à un Canadien français, moitié mohawk, sans véritable ambition, qui roulait dans un vieux pick-up. J'ai voulu croire à elle et j'ai cessé d'être méfiant. Un homme et une femme, entre dix-huit et quarante ans, ne s'échangent pas innocemment leurs coordonnées. C'est la tranche d'âge de la reproduction. Avec toute l'ambiguïté de la survie de la race et des diktats sociaux. Mais l'oubli devient volontaire et véritable. C'est plus fort que soi.

Emma Souquet. Père français, Haute-Savoie. Il travaillait au Tour de France quand il a rencontré Natalie Jones-Ricci, médecin d'une équipe américaine. Il l'a suivie à Chicago et ils ont eu trois enfants. Emma est l'aînée.

Taille moyenne, brune, mince, pas osseuse, musclée par la course à pied. Les yeux noisette. Je me rappelle avoir eu le vertige dans ses yeux. Je me suis dit : c'est elle. Et pourtant on se retient. C'est comme un système d'alarme. Une protection.

Avant de partir du greasy spoon, nos regards se sont croisés dans le miroir sale posé derrière la serveuse. Des regards lucides. J'ai su qu'elle savait. Mais il me semble que j'avais aussi vu ce regard chez Julia Roberts dans *Pretty Woman*. Ou était-ce dans la *Pietà* du Titien? J'ai de plus en plus de mal à discerner les choses signifiantes : je les perçois toutes importantes et ça me trompe. Quand doit-on croire vraiment à ce qu'on veut tant? J'ai voulu avoir la foi. Je veux aimer une femme. Ça viendra. Je sais que je le sais. Même si j'avais appris à me méfier. Surtout de moi. Je tombais alors en amour avec des filles sur tous les trottoirs du pays. Mes psaumes. La foi, c'est comme l'amour, apprendrais-je plus tard, ce sont des états qui existent à notre insu et c'est rassurant. Je suis heureux que l'époque grecque soit mythologique et révolue. J'aimerais trop de dieux. Aujourd'hui c'est plus facile : un dieu chrétien, un dieu islamiste ou un dieu bouddhiste. Une seule femme. Le singulier me simplifie l'espoir et le rend accessible. :)

Qu'Emma soit ma Foi. J'étais prêt. Mais j'étais aussi le contraire parfait de sa vie. J'allais devoir faire attention. Je suis quand même parti d'Ann Arbor ce matin-là. Je ne comprends pas vite les choses importantes et essentielles. Celles que je veux.

Je ne pouvais quand même pas lui dire que je l'aimais après quinze minutes. Même si c'était vrai. Tant de vérités nous font passer pour fou. Mon courage viendra plus tard.

J'ai pris vers le sud jusqu'à Columbus et suis revenu sur mes pas au nord, comme un oiseau migrateur, jusqu'en banlieue de Détroit où j'ai eu une crevaison.

Pause d'une heure qui m'obligera à faire un retour sur mes pas et un détour par Ann Arbor. Une crevaison juste à la base du Y, c'est plus qu'un hasard. Si je prends à l'est, je vais vers Détroit et ma route continue ; si par contre je vais à l'ouest, c'est Ann Arbor et cette Emma de Michigan State que je choisis. Un feu de circulation et un panneau vert. Choisir.

J'ai opté pour l'ouest et j'ai misé mes billes sur la fille. Une entorse à mon code, revenir sur mes pas. Je change de religion. Un homme au service de ce qu'il croit être l'amour perd une partie de son honneur.

Je n'ai pas retrouvé Emma. Quatre mille deux cent quarante-sept kilomètres depuis North Canal. Sept jours entiers à la chercher au hasard des rues, et à valider ainsi ma soudaine obsession pour cette femme. Comme le tableau du Titien. Un autre appel. Plus fort.

Pas de réponse au numéro de téléphone qu'elle avait écrit sur le napperon gris, taché de beurre, entre le w et le o de welcome, avec un crayon de maquillage pour les yeux. Pas de chance, pas de hasard amoureux. La providence, le destin ne sont pas ici. Pas maintenant. Et pourtant j'y croirais comme on croit à l'horoscope quand on veut y voir du sens.

DÉCEMBRE 1996. Fin du Y. Toronto.

On ne peut pas soupçonner d'où viennent les événements révélateurs dans nos vies. J'ai vendu mon pick-up avec l'intention de ne plus continuer cette route. Je suis déçu de ne pas avoir revu la fille. FUCK Y, c'est quand même mieux que rien. Ça pourrait être une abréviation de plein de mots. Yolanta par exemple. Yseult de Tristan.

Ou le chromosome Y tout seul. Je hais la génétique depuis qu'elle usurpe la connaissance mystique du monde. Il est évident qu'on trouvera plus précis un jour, qu'à mesure que la technologie progresse, la compréhension du règne du carbone se précise aussi vers un intérieur de plus en plus minuscule. Et nous sommes de gigantesques petites choses.

J'ai vendu, enfin presque donné, mon deuxième Dakota à un Chinois d'Amérique, vendeur d'occasion, au coin de Spadina et Queen Street. Trois cent cinquante dollars. Le prix d'un bon bourgogne rouge et d'un billet de train aller simple pour Montréal.

Un homme marche sur Spadina Street vers le sud. Il ralentit et regarde deux femmes qui tâtent des fruits chinois sur un étal de trottoir, à cinq mètres de lui. Il s'arrête une seconde. Rien d'anormal. Il hésite. On peut voir son pouls battre à ses tempes. Il tourne le dos en direction opposée et se remet à marcher difficilement. Il fait un autre demi-tour et s'approche des deux femmes qui tendent des billets au vendeur en échange d'un sac de litchis. Il se place derrière l'une d'elles et ses lèvres bougent.

«Will you marry me?»

Elle s'est tournée vers moi. Elle a regardé son amie. Au moins six fois, en silence. Puis elle a dit:

«What's your name again?»

Mais elle se souvenait très bien de mon nom car elle avait laissé une douzaine de messages sur mon vieux répondeur à cassette, entre notre première rencontre et ce jour-là.

Emma et moi, on allait vivre ensemble tous les jours qui ponctuent les vies humaines. Affaire réglée. J'espérais secrètement, pour la première fois, qu'elle serait plus forte que ma foi. Je l'aime vraiment. De toute l'espérance que je peux soupçonner. Et l'espoir a fait vivre et mourir plus de gens que toutes les guerres et maladies connues. Il semble que l'amour soit une qualité normale, voire nécessaire à la condition humaine. J'étais rendu à cette sortie d'autoroute.

Elle n'a pas répondu à ma question, mais elle a souri. Son amie est partie de son côté en silence, disparue, et on a marché une grosse demi-heure avant de dire quoi que ce soit. Le silence, chez une femme, peut être aussi précieux et dangereux qu'une prière.

On a passé notre première soirée ensemble à parler, jusque tard dans la nuit. De tout et de rien. De tout surtout, mais aussi de ma recette de madeleines au sirop d'érable. Elle ne connaissait pas les madeleines, ni Proust. Ce temps n'est pas perdu, Emma. Le jour se levait, j'ai dit :

« Teshahwishenhe : ion hen* ? »

Elle a tout de suite voulu répliquer en me faisant signe d'attendre avec la main. Et elle a dit avec une légère hésitation :

« Hen Tewakhwihshenheion**. »

C'est là que, moi, j'ai vraiment su. Je ne pouvais plus en douter.

Je ne suis pas parti pour Montréal cette matinée-là, mais quelques jours plus tard, alors qu'Emma retournait dans sa famille, à Chicago, pour les fêtes de Noël et du nouvel an. La session suivante, janvier 1997, elle s'est inscrite en maîtrise à McGill et s'est installée à Montréal avec moi. Elle a vite parlé un français international impeccable, qu'elle connaissait déjà partiellement à cause de son père, et même quelques mots de mohawk de plus.

On a dit : Kathontats***.

J'ai longtemps cru que l'argent pouvait aider à éviter la vie et la rendre plus douce. Même avec tout ce fric,

---

　* T'es fatiguée ?
　** Oui, je suis fatiguée.
*** Je consens.

j'ai voulu faire partie du monde, signe que je n'étais pas un vrai riche. Je me suis fait engager pendant un an comme cuisinier dans un resto mafieux du boulevard Saint-Laurent. J'étais amoureux.

12 OCTOBRE 1999. Montréal.

Elmyna a eu deux ans la semaine dernière. Voilà deux ans et demi que je ne suis pas allé à la chasse. J'ai remplacé les coups de feu par des mots d'amour. Ce matin, je la conduis à la garderie. Elle a été propre, cette nuit. Emma lui a mis un collant sur chaque main. À droite un papillon, à gauche un ballon de soccer argenté.

Entre la voiture et le casier du vestiaire où j'accroche son manteau blanc tricoté, elle a perdu le collant du ballon. En voulant montrer ses récompenses à son éducatrice, elle a constaté qu'il lui en manquait une. Elle a affiché une déception instantanée et s'est tournée vers moi.

«Attends, Myna, va avec les amis et j'irai voir dans la voiture pour ton collant.»

J'ai retrouvé le petit ballon de soccer dans le stationnement et je suis devenu le héros d'une petite fille de deux ans. Elle m'a regardé avec tant d'admiration que j'ai ressenti de la fierté et j'ai momentanément oublié ce qui se trouvait dans le coffre arrière de la voiture.

12 octobre, 9 heures 45 du matin. Il m'avait donné rendez-vous dans le stationnement du Costco, aux abords du pont Victoria. Le soleil ne rencontrait aucun obstacle ce matin-là. Pas un nuage, la lune était encore visible. Une nouvelle à la radio annonçait la naissance du six milliardième humain, à Sarajevo. À l'aube du millénaire, des fonctionnaires futés des Nations Unies à New York, complètement déconnectés et en surdose d'un optimisme symbolique que seuls des bureaucrates peuvent avoir, avaient décidé de foutre un numéro sur un enfant né dans ce qui serait la ville «Gabriel», hôte d'une polarisation religieuse et idéologique qui durerait un autre siècle au moins. Serbes. Croates. Bosniaques. La foi, encore elle.

Je ne fais même plus cas de cette bêtise, car je suis un papa heureux. Le bonheur, c'est comme le Fentanyl d'une salle d'opération, ça gèle la foi ou la peur de vivre quelques instants.

Quand Emma et moi avons emménagé ensemble, nous avons acheté une vieille bâtisse industrielle dans Parc-Extension, où l'on fabriquait des cosmétiques pour femmes. Dans le sous-sol, entreposés sans précautions et certainement oubliés, des barils d'aluminium affichant des pictogrammes indiquant un danger, des têtes de mort et des mises en garde contre les vapeurs nocives. Trois barils d'acétone. Cent trente-cinq gallons, plus de quatre cents litres d'un produit qui sert habituellement de diluant à vernis à ongles, ou autre fonction liquéfiante. J'ai fait au moins une quinzaine d'appels à Info-poison, à des compagnies privées de récupération de matières dangereuses et à la Sécurité publique, personne n'a su me dire comment en disposer. Jusqu'à ce matin d'octobre où je les ai vendus pour presque rien à un ami d'ami d'une amie qui savait que je les avais. On peut en faire divers usages : habituellement, l'acétone sert à diluer des plastiques, de la colle époxy et des vernis à plancher.

Je savais que cet isomère stabilise la nitroglycérine et la désensibilise aux chocs lors des transports. Mes cours de chimie, aussi utiles en cuisine, me servaient encore, et c'est tant mieux. Le gars qui voulait me les acheter le savait aussi. Un rendez-vous dans un parking anonyme, deux gars aux yeux foncés, et j'ai compris. Genre Afrique du Nord, les gars. Ce sont eux qui ont choisi le Costco. Ça me plaisait comme symbole. Ils ont embarqué les contenants de métal dans le hayon de leur Cherokee, m'ont donné cinq cents dollars en billets de vingt et ont attendu que je retourne à ma voiture refermer le coffre arrière et ranger les sangles de retenue. Juste avant de monter dans la voiture, j'ai crié : « Pour un voyage sans turbulences, c'est quatre pour un. »

Le 14 décembre suivant, le gars s'est fait arrêter dans l'État de Washington avec, dans le coffre arrière de sa voiture, soixante-dix-sept kilos de nitroglycérine plus ou moins stabilisée, et rendue plutôt inoffensive par quatre fois trop d'acétone. Au tout début de l'enquête, on a préféré dire la vérité, juste avant de se rendre compte combien le scénario catastrophe servirait mieux la cause. Et l'homme rassurant de la CIA n'a plus jamais répété publiquement l'erreur de mélange chimique. Grâce à la loi de l'accès à l'information, des années plus tard, on rendrait ces faits publics.

Je lui en avais vendu au moins trois fois plus. Je ne me demande plus où le reste peut bien se trouver. Je m'en fous aujourd'hui.

J'aime à penser que ce con a inversé les proportions de quatre doses de nitrate pour une d'acétone à une de nitrate pour quatre d'acétone. Malgré tout le battage médiatique, l'alerte de sécurité et l'invention de la paranoïa américaine, le mélange explosif d'Ahmed Ressam n'aurait irrité que quelques yeux. Je me serais très certainement trouvé complice et associé au terrorisme. Pire encore, à un acte manqué. Voilà donc mon deuxième pire cauchemar. Le premier étant que, lors d'un voyage en Afrique centrale, je sois victime d'une maladie inconnue et que celle-ci, pour l'éternité, porte mon nom.

Ce geste m'a rendu heureux. Après deux années complètes à être «dans les rangs humains», j'avais l'impression que ma vie se répétait et perdait en intensité. Mes doutes quant à l'utilisation de cette acétone me rendaient plus vivant.

Ma vie ressemblait maintenant à ce que j'avais souhaité en voulant croire en Emma. Mais ma forme originale a beaucoup de mémoire, comme un élastique que l'on étire. Il y a un état originel difficile à oublier. C'est ça la mémoire. Les souvenirs, c'est à peu près tout le reste, qui tente de forcer l'oubli de l'état premier.

Vingt-cinq billets de vingt dollars. Des fois, l'amour, c'est une Bible dans le tiroir d'une table de chevet, dans un motel miteux.

J'aime Emma parce qu'elle essuie toujours le dessus de son nez vingt fois avec sa main quand elle termine un espresso. J'aime cette femme, car lorsqu'on fait du vélo, elle s'arrête de temps en temps sur la route et se penche sur le rétroviseur de n'importe quelle voiture pour se regarder et vérifier l'état de son visage. Immobile ou en attente à un feu de circulation. Si un jour je conduis et qu'une femme fait le même geste, je lui plaquerai un baiser sur la bouche. Je crois qu'elle m'a involontairement presque guéri durant deux ans de ce besoin illogique que j'ai de terminer la route entreprise. Je me suis longtemps demandé si c'était une bonne ou une mauvaise chose.

Quand je pense à elle en silence, elle remplace mille fois mieux la prière.

Les jours où je n'achète pas de billet de loterie sont-ils ceux où je gagnerais?

J'AI REPRIS LA ROUTE.

Emma n'a pas voulu creuser les motifs de cette route. L'excuse de l'amour, j'imagine. Quand je suis parti ce soir-là, après être passé prendre la petite à la garderie, elle avait remonté ses cheveux en palmier sur sa tête. Je l'ai trouvée magnifique. Je lui ai dit qu'elle était belle. Pour toutes ces fois où elle l'aura demandé. C'est le moment où c'est offert que ça fait le plus plaisir. Elle n'a pas cherché à savoir pourquoi je reprenais la chasse après deux années à l'écart. Je veux finir d'écrire le FUCK YOU de mon atlas?

Plein de questions demeurent sans réponses, et ça donne l'impression de comprendre l'univers. La plupart du temps, ce sera décevant. Je cherche et j'évite de trop fabriquer de sens. Chercher me fait le même bien que courir pour rien. Des endorphines et une déculpabilisation morale. Je suis, sur ce continent, un indigène. Un droit de révolte sincère m'est échu, je crois.

«Je sais pas, j'espère trouver la réponse sur cette route.» Mais elle n'avait toujours pas posé de question. Faire des choses sans but est un luxe qui fait défaut à trop de gens.

Je l'ai embrassée dans le cou. Mon nez froid contre ce cou chaud. Myna a mis sa main sur ma nuque comme un crochet et m'a tiré à elle.

« Je t'aime, ma petite chérie.

— Bec, papa », et elle m'a léché la joue avec sa langue.

Montréal – Mont-Laurier – Maniwaki. Cinq cents kilomètres de réflexion. Je ne suis pas tombé amoureux d'Emma. Elle non plus, je crois. Nous avons décidé d'être amoureux. Comme la foudre. Elle ne tombe jamais au hasard. La science explique que le phénomène est déclenché par une charge polarisée invisible à l'œil humain. Un pôle négatif attire une charge positive. L'amour aussi doit progresser.

Un minimum d'affinités aura suffi pour que deux entités entièrement inconnues l'une de l'autre décident de s'unir. Ce n'est pas un état indépendant de nos vies. Le destin non plus. Il y a des états qu'il ne faut pas comprendre parce que la preuve est accablante.

Maniwaki 19 km. Un porc-épic mort au pied de la pancarte, un autre roadkill. Smashing Pumpkins dans le lecteur CD.

Sait-on combien de bonheurs passent à côté de nous, nous effleurant à peine car on choisira plutôt d'éviter des récifs? Emma n'existait pas à l'état d'être mon amoureuse, pas plus que moi, il ne s'agit pas d'une essence, d'un caractère inné ou d'une affaire d'ADN. Sa présence dans le petit restaurant d'Ann Arbor n'était que sa vie. Son chemin quotidien, indépendant du mien.

Le mien, motivé par l'unique faim de ce corps, a décidé de s'arrêter précisément là, non parce que j'y trouverais une femme que j'aimerais, mais parce que, au moment même où je passais devant, j'imagine qu'un homme qui s'arrêtait là tous les matins pour prendre le petit déjeuner repartait précipitamment pour le boulot parce qu'il venait tout juste de remarquer que sa montre n'était pas juste. Il laissait libre une place de parking juste en face de Al's breakfast all day. Il s'arrêterait peut-être en chemin au drugstore pour acheter une nouvelle pile. Ces incidents ne sont pas liés. Il n'y a rien dans ces trajectoires inconnues qui annonçait quoi que ce soit. Comment croire encore à une quelconque prédestination, à moins d'envisager que cela fasse partie intégrante des structures primitives des humains? Le jansénisme et son contraire sont-ils synchronisés par leur opposition?

Et si rien n'était relié? J'apprivoise la mort par la chasse. Je nargue ma propre finalité. Mais il est si tôt.

Je suis arrivé à Wakefield, à quelques minutes de Maniwaki, avant tous les chasseurs de cerfs de cette année. Loin des grandes villes anonymes, le braconnage est une affaire banale, quotidienne et, surtout, silencieuse. On apprend beaucoup plus d'un braconnier que d'un chasseur émérite, car le silence confirme toujours le doute.

J'ai loué un petit chalet carré en plywood, minimalement aménagé : un poêle à bois, une cuisinière et un frigo au gaz, un lavabo dont l'eau était récoltée dans un baril de quarante-cinq gallons par des gouttières installées à la base du toit. Un jour sur deux, tôt le matin, l'eau stockée dans le baril de plastique noir était gelée. Fallait prévoir le coup ou attendre que le soleil de midi fasse fondre la glace.

Les nuits annoncent la neige à venir. Il fait creux. Les vents du nord commencent à prendre. Nous sommes à quelques jours de Halloween. Samedi matin, une demi-heure avant le lever du soleil, la chasse aux chevreuils ouvrira. Pendant quelques heures, ce sera comme à la guerre. À des dizaines de kilomètres à la ronde, on entendra des centaines de coups de feu.

La veille, vendredi, j'ai abattu un cerf.

Samedi matin. C'est l'ouverture officielle. Le soleil vient à peine de se pointer au loin. Il fait toujours mauve à la chasse. Le jour va prendre. Je suis assis sur une chaise frêle et froide. On entend les craquements du bois dans le vieux poêle en fonte Norland et les coups de feu aux alentours se mêlent au bruit des bûches qui brûlent.

Ça sent la souris morte et l'humidité. Le plancher est froid, sale et vieux. Un prélart qui frise aux coins et qui n'a sûrement pas toujours été gris. De ma tasse de café monte un brouillard de vapeur qui se dissipe après quelques dizaines de centimètres. Par la fenêtre, je regarde l'arbre où normalement on pend les chevreuils abattus. Une potence. J'ai eu envie de savoir ce que c'était être mort. Être à la place du chevreuil mort. N'être plus que de la viande. Être réduit, une fois pour toutes, à un agencement de cellules. Ce serait plus simple pour tout le monde.

J'ai laissé mon chevreuil caché dans la forêt pour la nuit, lui aussi pendu de toutes mes forces au bout d'un câble, assez haut pour éviter qu'un coyote, un loup ou un ours ne vienne en manger.

Je ne sais pas ce que ça vaut, mais j'ai pissé sur l'arbre, sous l'animal; il paraît que l'odeur d'urine humaine éloigne les animaux sauvages. Si dans notre urine se retrouvent des molécules de ce que l'on mange, faudra pas que les coyote, loup et ours soient des amateurs de merde de clown, parce que la seule nourriture que j'ai bouffée avant de chasser hier soir, c'était du McDo. Je ne sais ce que l'on y met, mais j'aime me fourrer cette bouffe dans la gueule. Ça goûte bon. On dit, et j'aime le croire, qu'un «collage» aussi baroque de viande industrielle, d'huile, de farine enrichie, de sel, de sucre, de sauce «secrète» et autres trucs qui composent un sandwich est absolument et scientifiquement impossible à traiter pour un estomac humain. Pas réunis sous cette forme en tout cas. À un point tel qu'ils y ajoutent aussi des antivomitifs. Pietro a lu cette info sur Internet.

Ça ne m'empêchera pas d'en manger à nouveau. Je suis plutôt heureux de savoir qu'ils ont vu à ma santé en m'évitant de gerber chaque fois que je mange leurs trucs. J'ai longtemps cru que «fast-food», ça voulait dire que c'était préparé vite. On commande, et hop, ça arrive. Dans mon cas, c'est plutôt pour qualifier la vitesse à laquelle j'ingurgite la marchandise. Comme un chien, en mâchant le strict minimum. Ou comme un enfant qui mange une huître devant des adultes qui le regardent et attendent. L'huître devrait être un sacrement catholique à l'adolescence.

J'ai fait griller des tranches de pain sur le poêle. Des tartines au beurre et aux confitures de cerises de terre et zeste de citron qu'Emma a faites. Ma communion. C'est bon comme une douche après une journée à épandre du fumier.

J'ai enfilé une chemise de chasse et suis sorti pour aller téléphoner à l'auberge. Ma petite cabane n'avait même pas l'eau courante. Un fil électrique encore moins. Pas de cellulaire et pas de chiottes.

En parcourant la centaine de mètres qui me séparait de l'auberge, j'ai longé le potager du proprio qui regorgeait encore de fines herbes. J'ai eu le goût de cuisiner et je suis allé laisser un message au courtier en valeurs mobilières qui gérait mes actions, lui demandant de tout vendre et de laisser l'argent dans l'encaisse, que j'aurais des trucs à faire au courant de la semaine prochaine. J'ai répété trois fois l'ordre de vente.

Si je n'avais pas vu le potager, je n'aurais pas ouvert de restaurant. J'ai eu le goût de cuisiner pour les autres pendant quelques secondes et ça m'a suffi. La cuisine est plus proche de la générosité pure que du sexe.

C'est ainsi qu'exactement onze millions huit cent vingt-sept mille trois cent quarante et un dollars et trois cents ont été donnés anonymement à trois œuvres de charité : une pour les filles-mères, une pour les itinérants et une pour les petits déjeuners. Je t'aime, Emma. La lettre expliquant le geste demandait de ne rien dire. Et mise à part une seule nouvelle écrite dans un grand quotidien montréalais le 11 novembre 1999, rien ne fut révélé. J'avais gardé un peu plus de cent mille dollars parce que, dans mon désir de devenir un adulte responsable et mature, comme dans les pubs télé, j'espérais avoir une affaire légale et légitimante, et qui m'occuperait.

Il vient naturellement un temps où l'on sent que l'on devrait être responsable. Quand, au milieu de toutes les nuits, la sensation lâche de ne pas savoir pourquoi on existe nous réveille, il est temps de s'anesthésier à coups de futur, d'espoir et de projets. Il faut que j'essaye. Tant de gens et d'histoires racontent que la vie normale, c'est d'avoir une famille, des plans d'avenir, une identité sociale, des aspirations légitimes au bonheur, un chien ou un chat, une raison de se lever chaque matin. Faut impérativement aussi être passionné par quelque chose : le bridge, les trains électriques, le scrap-booking, son char, le tricot, la cuisine ou même, dans le pire des cas, le cinéma.

Je comprenais que plus j'aurais de choses à faire, moins j'errerais. La vue du thym d'hiver, de l'estragon, du romarin, du cerfeuil et de la sauge m'avait appelé.

Comme j'entrais dans l'auberge, madame Parker est venue voir qui avait ouvert la porte si tôt et qui, surtout, avait été le premier à abattre un chevreuil ce matin.

« Avez-vous tué ? qu'elle m'a demandé.

— Oui, juste en sortant d'ici, sur la 118, ce matin. Y avait un beau buck, un huit pointes, au milieu du chemin, je suis descendu et il restait là, j'ai eu le temps d'épauler et de tirer. »

Elle m'écoutait avec la plus déférente des attentions, comme si toute l'année elle attendait ce moment. J'ai repris en voyant qu'elle en voulait encore.

« Il est mort une centaine de pieds dans le bois. Je suis venu déjeuner et appeler ma femme pour le lui dire, là je retourne le chercher. »

J'espérais qu'elle n'ait pas entendu ma conversation avec le répondeur du courtier. Et puis elle me dit sincèrement :

« Félicitations, m'en vas aller le voir juste avant que mes chasseurs rentrent à midi. »

Je ne sais pas si elle m'a cru et ne le saurai jamais. Ces ententes silencieuses sont probablement courantes ici, ou c'est moi qui fais un peu de paranoïa. Mon chevreuil n'était pas mort sur la route.

J'ai toujours su que douze fois douze, ça fait cent quarante-quatre. Je ne sais par contre pas combien font onze multiplié par douze. Et je ne sais pas non plus pourquoi je ne retiens pas cette information. La vie des chevreuils est assez prévisible. Ça, je le sais, et ça leur coûte souvent la vie.

La veille, j'avais fait semblant d'aller porter des pommes en appât. Rien de plus normal qu'un chasseur, dans le temps de la chasse, qui appâte son territoire. Dossard orange et poche de moulée sur le dos. Le sac aurait dû contenir une cinquantaine de livres de pommes, mais à la place s'y trouvaient un arc Proline et trois flèches de chasse aux pointes ornées de lames aussi tranchantes que des lames de rasoir. J'ai repéré un sentier que les cerfs de Virginie, leur vrai nom, empruntaient souvent. Les routes d'automne ne sont jamais les mêmes que les routes hivernales ou celles de l'été. Les animaux connaissent leur environnement et savent très bien que leur survie dépend surtout d'un accès à la nourriture à longueur d'année. J'ai déblayé le sol des feuilles sèches et craquantes au pied d'un immense hêtre et je m'y suis assis. Le hêtre pousse dans les forêts climax, c'est-à-dire une forêt qui n'est plus à son apogée. Cet arbre annonce le déclin d'un écosystème. Il remplacera les érables, les bouleaux et les chênes parce que ses feuilles, en se décomposant, empoisonnent le sol et le rendent hostile aux anciens. C'est aussi un arbre dont l'écorce me fait penser à une jambe de femme en jupe, à l'automne.

J'ai dû dormir une dizaine de minutes : à l'ouverture de mes yeux, l'intensité de la lumière avait changé. Quatre-vingt-dix pour cent des chasses aux gros mammifères se font trente minutes après le lever du soleil et trente minutes avant son coucher. Il y a une heure où les animaux meurent. Je suis immobile. J'ai pris le rythme de la forêt, je m'y suis fondu, j'en fais partie, aussi invisible que ses milliards d'arbres.

Rien ne bouge isolément. Seul le vent imprime un mouvement lent et coordonné à la forêt. Rien sauf un animal. C'est l'arythmie la plus spectaculaire qui soit, impossible de ne pas la voir. Cette soudaine apparition de vie animale devant soi est ce qui se rapproche le plus du syndrome de Stendhal : une émotion si subite et surréelle que notre cerveau a besoin de quelques secondes pour s'adapter à cette nouvelle réalité. Une révélation pour les croyants. Une illumination pour les gens normaux. Celle dont on vante les vertus.

Forêt. Arbres. Sol et ciel.

C'était une femelle, seule. Suivie ensuite d'une autre et de son faon. Toutes deux regardaient constamment derrière elles, s'arrêtant et pivotant du cou, les oreilles inquiètes. Je savais. Les femelles sont moins craintives. Elles ouvrent la route. Elles sont l'infanterie, les fantassins, la chair à canon des grands mâles. Les grands mâles suivent et marchent dans leurs pas. Ils survivent grâce à cet instinct de peur et de suspicion, croyant que le danger est toujours devant soi. Entre une femelle et eux. Toujours. Toujours encore.

Je n'ai pas bougé. Les deux femelles et le faon sont restés à quelques dizaines de mètres de moi pendant cinq ou six minutes. Dans cet ordre tranquille qui sera complètement bousculé quand la période des amours, le rut, débutera. Plus aucune fraternité. Pas plus entre mâles qu'entre femelles. Ces mêmes femelles qui chasseront violemment leurs petits, le temps de l'accouplement, quelques jours.

La survie de l'espèce est commandée par des affrontements et des confrontations sans équivoque et souvent violentes. Si deux mâles s'affrontent pour une femelle en chaleur qu'ils suivent depuis des jours, aucune garantie que le gagnant du combat s'accouplera. Le vainqueur aura le droit de s'offrir en premier, mais c'est quand même et toujours la femelle qui choisira. Et le perdant pourrait être ce choix. Si dans ce cas une autre femelle en chaleur choisit le même mâle en même temps, il y aura aussi un violent combat entre elles. La soumise s'en ira et la gagnante se fera monter par le mâle. Ainsi va depuis des millénaires un ordre des choses établi par je ne sais qui, ni je ne sais quoi.

Peut-être que c'est ça l'amour, Emma ? Un sentiment simple au nom du nombre. Emma qui est particulièrement perspicace pour déceler qu'une autre femme s'intéresse à moi, même banalement. Ça aussi, c'est inscrit dans leur système.

La croyance populaire veut que les grands mâles dominants se reproduisent majoritairement, assurant ainsi force et majesté à la race. La réalité est tout autre. Une étude longitudinale menée sur plus de dix ans par une université vétérinaire du Michigan, qui portait sur les comportements de reproduction des cerfs de Virginie, a montré que les grands mâles dominants sont si occupés à préserver et défendre leur territoire, avec toute leur puissance, qu'ils arrivent exténués au rut et sont incapables de saillir plus de deux ou trois femelles. Alors que les autres mâles aux panaches moins imposants vont, eux, réussir à « servir » entre six et douze femelles. Et les plus rapides se reproduiront le plus. L'éjaculation précoce favorisera toute la race et sa survie.

Plus précisément, ces cerfs mâles adultes possèdent dans le palais une glande plus développée que celle des grands mâles trophées, l'organe de Jacobsen, qui leur permet de sentir les ovulations et d'arriver juste à temps. Et de partir plus rapidement à la recherche d'une autre femelle quand la première est fécondée. Le règne animal des mammifères, dont je fais partie, est plus confus qu'on me l'a fait croire.

Et si les hommes ne voyaient leurs femmes que le temps d'assurer la survie de l'espèce ? Bûcher l'hiver. S'accoupler au printemps. Dix mille ans d'évolution de l'espèce pour se rendre compte que, si la quantité augmente – nous serons bientôt sept milliards –, la qualité humaine, elle, reste la même. Avons-nous aussi cet organe de Jacobsen ?

Ne séparait-on pas les garçons des filles autrefois, jusqu'au jeune âge adulte ?

À TIRE-D'AILE

Un homme vêtu d'habits de camouflage, portant une cagoule, est assis adossé à un arbre à l'écorce grise et lisse. Les feuilles ne sont plus dans les branches mais au sol, sèches. L'homme est presque invisible. Quasi immobile. Il bouge très lentement et fixe droit devant lui. Il tient un arc et le lève vers un cerf mâle qui approche, le nez au sol. Sa respiration s'accélère. Il bande son arc et le tient longtemps ainsi.

Comme prévu, le mâle suivait.

Khena'khwaye'wenta's*.

Il avait attendu que les deux femelles et le faon soient loin devant avant d'apparaître. Il reniflait le sol, inquiet, nerveux et incapable d'immobilité. Pendant qu'il tournait et baissait la tête quelques secondes, j'ai saisi mon arc et je l'ai bandé. Une monstrueuse dose d'adrénaline circulait en moi. La réalisation d'un acte fondamental est encore inscrite dans nos gènes. Chasser pour se nourrir. Il y a bien plusieurs siècles que ce n'est plus nécessaire à notre survie, assurée autrement par l'agriculture et l'industrialisation. Comment se débarrasse-t-on de l'envie ancestrale de se reproduire ? Pietro aurait dit que c'est par la religion.

Peut-être cette ivresse est-elle due à la capacité de donner la mort ? La chasse est aussi l'amour de la mort. Comment me débarrasser de cette mémoire génétique ? On ne prémédite pas la mort d'une mouche comme celle d'un grand mammifère.

Je l'ai tiré à vingt et un mètres d'où j'étais.

J'ai toujours aimé mesurer les distances entre moi et les choses. Trois pieds quatre pouces, vingt-quatre pieds et demi, un mètre quatre-vingts. Onze bières. Quarante onces de vodka. C'est encore mieux quand il y a des huitièmes ou des seizièmes de pouce. À l'école, on m'a appris le système métrique alors que, dans la vie de tous les jours, c'est le système américain qui a été appliqué. Mon pénis mesure sept pouces, pas dix-sept virgule cinq centimètres. Tous les hommes ont mesuré leur pénis un jour.

---

* Calme-toi.

Cent milles à l'heure, c'est plus rapide que cent soixante kilomètres-heure, même si c'est la même vitesse. Quinze milles au galon, pas six litres aux cent kilomètres. En cuisine, j'ai aussi préféré les tasses et les cuillères au quart de litre et à ses millilitres. Trop français, les petites mesures.

Il n'y a qu'avec l'arc et les flèches que j'utilise les mètres. On nous avait fait suivre des cours de tir en plaçant les cibles de l'examen d'accréditation de permis à dix, quinze, vingt, vingt-cinq et trente mètres. Quand je tire des flèches, c'est en mètres que j'abats l'animal ; quand je tire d'une arme à feu, c'est à soixante, quatre-vingts ou deux cents pieds que je vise. Je suis double.

J'ai tenu l'arc bandé une bonne trentaine de secondes avant de décocher. Trente secondes, c'est la limite de temps avant de commencer à trembler par manque de force. Après une évaluation rapide de la distance, vingt mètres, il me semble, j'ai mis la croix de ma troisième mire derrière la patte avant gauche, j'ai monté un peu pour viser les poumons, j'ai expiré doucement pour éviter le tremblement et j'ai laissé partir la flèche. C'est à la toute fin d'une expiration qu'il faut tirer, juste avant de reprendre son souffle. C'est le moment le plus calme et le plus précis. On dit aussi les choses importantes après une grande expiration. « Je ne t'aime plus, j'ai le cancer, je vais mourir… » Les tireurs d'élite de l'armée savent que c'est à la fin du souffle qu'ils ont le plus de chances de tuer l'homme ciblé.

Ça a fait comme un petit bruit de tambour suivi d'un sifflement et d'un tchac presque immédiat. On ne voit pas la flèche. J'ai gardé les yeux ouverts pour observer le comportement de l'animal. Si celui-ci sursaute et court la queue baissée, il mourra. S'il s'enfuit la queue levée, c'est qu'il n'a pas été touché, du moins mortellement. Le mien avait sursauté, fait demi-tour et était parti en courant la queue bien basse dans la direction d'où il venait. Un animal gravement blessé retourne toujours d'où il vient. Il se replie sur ses derniers pas.

Mes tempes battaient, comme quand j'avais revu Emma dans la rue à Toronto. Même en sachant que ce bruit était interne, je ne peux pas imaginer que d'autres n'auraient pu l'entendre. Il fait chaud et froid en même temps, on peut être pris de tremblements nerveux, la respiration se fait par la bouche. Mes poumons projetaient une buée de vapeur à une quinzaine de pieds devant moi. Dans la direction de la flèche, c'est cinq mètres.

Il me faut impérativement rester calme. Marquer le dernier endroit où j'ai vu l'animal. Et attendre. Une bonne trentaine de minutes interminables à ne pas savoir si l'animal est mort. C'est le temps qu'on lui donne pour saigner et mourir. Où ? Comment ? Loin ?

Je suis incapable, où que je sois, d'attendre long-temps. Comme je croyais avoir bien visé, c'est après vingt minutes que je suis parti à sa recherche. Je veux voir la mort. Elle me réjouit. Et m'excite. J'étire le cou quand je croise un accident de la route. Une grande partie de mon éducation mortuaire, mis à part le salon funéraire, les fleurs et l'église, s'est faite par une série de films intitulés *Faces of Death*, dans lesquels on nous montrait des morts en direct ou la disposition de corps humains après la vie. De l'hypnotisme. Toujours les pieds. C'est tout le temps les pieds que la télévision nous montre quand quelqu'un meurt sur la place publique. On le recouvre d'une toile jaune, mais les pieds dépassent souvent.

Je retrouve ma flèche plantée au sol, loin derrière, intacte mais rouge clair de la pointe à l'encoche. Encore gluante. Collante. Rouge clair, ça veut dire un sang oxygéné. J'ai touché les poumons. Je suis heureux, mais pas encore tout à fait. Des gouttelettes sur les feuilles mortes à tous les pas.

Je piste. Je suis un chien de rouge. Les gouttes s'alignent et forment un sentier qui mène quelque part. Elles deviennent de plus en plus grosses. Puis tout le sol est remué, taché. Le sang est devenu du caramel. Les jeunes arbustes aussi sont marqués de rouge. À un endroit, il y a même de la mousse de sang, exactement comme de la mousse de bain ou une émulsion de jus de framboises. L'air et le sang mélangés. Une émulsion de mort. Je goûte. Le fer encore.

Le chevreuil a balayé le sol et découvert l'humus. La fin d'une vie n'est pas gracieuse. Il devait tourner sur lui-même, paniqué, étourdi. J'ai revu mon oncle Jean-Paul sur son lit de mort à l'Isle-aux-Grues, râlant, les yeux révulsés, en convulsion et criant le nom de son père juste avant d'expirer pour la dernière fois. Je préfère le coup sec et direct. Suivi d'une chute que l'on ignore.

L'animal a tenté de boucher les trous de la flèche avec les feuilles et de la terre. Il arrive que le sol puisse boucher une plaie et stopper l'hémorragie. Il se bourre d'humus, de feuilles et de branches et il guérit. Pas cette fois.

Je lève les yeux. Il est juste devant. Brun, le ventre blanc. Mort. Étendu, la tête enfouie sous un arbre tombé, comme pour se cacher dans un ultime effort de survie. Je vois ses pattes. Je ne pèse plus rien. Je suis un astronaute. Un état de grâce qui dure quelques secondes. Tuer est aussi fort qu'un orgasme.

Je tire le cerf mort jusque sur le dessus d'une petite dénivellation. Il faut d'abord découper le pénis et les testicules en les tenant fermement – il n'y a rien qui ressemble à cela dans l'univers, c'est ma mère qui me l'a appris –, en prenant bien soin de ne pas les détacher du corps et de laisser le tout attaché au conduit urinaire, car celui-ci va jusqu'à la vessie et il est primordial de ne pas échapper d'urine sur l'animal.

Ensuite je découpe l'anus, ce muscle-sphincter, de l'extérieur, en insérant deux doigts pour l'écarter et bien sentir le contour. Doucement la lame doit suivre le contour. Encore une histoire de boyaux. Sans se couper.

Il y a des Chinois qui mangent l'anus de porc. J'imagine des calmars avec un goût d'épices. J'adore les testicules de cervidés, pochés, puis frits au beurre de noisettes et au piment d'Espelette.

On ne peut pas imiter le bruit d'un couteau qui fend une peau qui veut fendre. Le seul bruit qui s'en approche, c'est un rasoir un peu émoussé qui coupe des poils de barbe d'un homme, ou quand une femme se rase les jambes dans le silence de son bain.

L'abdomen commence à gonfler dès la mort de l'animal. Des milliards de milliards de bactéries sont en symbiose avec la vie. Du moment qu'elle cesse, ici c'est sous la forme d'une chaleur régulée très précisément, les bactéries ne font plus leur travail et la vie fermente. Le couteau délivre cette peau tendue avec la seule pression du poids de la lame.

J'ai tiré sur la panse et les organes fumants. La dénivellation facilite l'écoulement du sang et la sortie des viscères. Un autre coup de couteau pour détacher le cœur, attaché au thorax dans une toile, et aux poumons et au foie. Un autre coup pour le diaphragme, ou l'onglet, ainsi qu'on l'appelle quand c'est servi dans une assiette. Un dernier coup pour sectionner la trachée de l'intérieur. Tout sort. L'animal est vide. Il fume. C'est devenu une carcasse. Ça sent le sang. J'en ai les mains pleines. Je suis fier de mes mains rouges. Je n'ai jamais eu peur. Même pour l'amour. C'est rien quand on aime. C'est comme une preuve de plus. Ma queue ne fait pas la différence.

J'ai les bras rouges jusqu'aux coudes. J'essuie la sueur sur mon front avec ma manche relevée, tachée. J'ai planté mon couteau dans la terre, comme on poignarde, pour le nettoyer. J'ai attaché le chevreuil par les cornes et l'ai hissé sur une branche, aussi haut que possible. Les pattes arrière ne touchent plus terre. Je n'ai plus de force. L'eau me coule de partout, vers le sol. Je fume, vers le ciel. Je suis une vapeur.

Je me suis forcé pour pisser sur l'arbre. Il me restait du liquide. Et je suis retourné au chalet dormir.

La chasse ouvrait le lendemain matin.

De presque tout le règne mammifère, seuls quelques mâles assurent la survie de l'espèce. Les mâles n'ont rien à voir dans l'élevage des petits. Rien à voir avec la fidélité conjugale et rien à voir ni à faire avec les femelles de leur espèce, sauf trois semaines par année.

Ce système ne leur cause pas de malheur, pas plus qu'un risque d'extinction de l'espèce. Ça fonctionne ainsi, c'est tout.

Je me rappelle une conversation avec Pietro. Je connais vos conclusions, vieil ami. Votre vœu d'abstinence n'avait pas été étranger à ce fait.

Il n'y a rien de plus intelligent qu'un être qui ne se reproduit pas, car il sait qu'il affaiblira sa race. Le contraire est aussi l'idée la plus stupide du monde. Et un con qui fait des enfants parce qu'il se croit intelligent? Nous n'y pensons même plus, ça crée des guerres. On fait des enfants parce que c'est ainsi qu'il faut faire, sans considération aucune sur notre valeur ou nos qualités.

Comme prévu, madame Parker est venue voir mon buck. Elle m'a félicité, sincèrement, et j'ai été touché.

«Est-ce que je peux vous cuisiner quelque chose pour le souper? que je lui ai demandé.

— Euh, oui», qu'elle a répondu, surtout surprise et pas certaine qu'un homme puisse faire «à manger» aussi bien qu'elle.

J'ai fait cuire la gigue complète du chevreuil, lutée à la pâte avec des herbes, une glace de viande et de l'ail confit. Il devait bien y en avoir pour quinze personnes. La viande n'avait pas vieilli. Il vaut toujours mieux la laisser vieillir. La fibre musculaire prend plus de temps à mourir que l'âme ou la cervelle. C'est la mortification: les enzymes s'activent, la parfument et l'attendrissent. Elle prend du coup un état qui la bonifie par le goût du gras. Une fibre ne goûte presque rien, seule la matière grasse donne le goût. Quelques heures pour le poulet ou le cochon d'Inde, et des jours pour les «gros». Le gras est la clé du goût.

On oublie vite que la viande doit attendre le temps pour devenir bonne à manger. Le gibier fait exception parce que déjà très aromatisé par sa nourriture sauvage et naturelle. Je me souviens d'un «porter steak» chez Peter Luger, à Brooklyn, le plus vieux steak house du monde entier. Ils font vieillir à sec les steaks de vache et de bœuf pendant quarante et un jours, sinon ça ne goûte rien. Le menu complet se résume ainsi: steak for one, steak for two, steak for three, steak for four. No credit cards. Cash only. Impossible d'y aller sans réserver des semaines à l'avance.

Le steak est un symbole de réussite naturelle qui remonte à la préhistoire. Il y a plusieurs siècles, quand nous étions couverts de peaux de fourrure, Emma, je te ramenais de la viande. Et maintenant je t'invite au restaurant ou je l'achète. Il arrive encore que le bœuf ait bon goût. Nous servirons de la vraie viande au resto bientôt ouvert.

Sans doute que même des muscles humains vieillis convenablement pourraient être délicieux. On ne ferait pas la différence. Sauf pour la viande de vieillard. J'imagine que ça aurait un goût de rognon. ⸳⸱

Je cuisinais. J'étais heureux et je ne pensais pas à ma famille. Trois chasseurs qui revenaient avec une biche pas encore vidée sont entrés en s'exclamant que ça sentait bon.

«Y en aura assez pour vous au souper, si vous voulez.»

En sortant de la cuisine, le dernier a dit :

« Ben, on va aller arranger ça, d'abord, c'te belle femelle-là, madame Parker. »

Ils avaient tué une biche. J'ai crié :

« Est-ce qu'elle avait un veau avec elle ?

— Sais pas, minute… Jacques, a l'avait-tu un veau au cul, la femelle ? »

Je n'ai pas compris la réponse de Jacques, mais lui m'a fait signe que oui de la tête. J'ai tout laissé en courant, j'ai pris le meilleur couteau de madame Parker et j'ai suivi les trois hommes jusqu'à leur pick-up.

« Je peux vous demander quelque chose ? »

Ils ne répondaient pas. J'imagine qu'un gars avec un t-shirt rose *Banana Republic*, un couteau de boucher à la main, n'inspire pas la conversation. Ils ont dit oui.

J'ai découpé le pis de la biche en usant de mille précautions. Intact. Plein de lait encore presque chaud, à peine tiédi.

J'ai bu trois bières en préparant le pis. L'anxiété me fait boire. Pendant les séries éliminatoires de hockey. Quand Emma me dit qu'il faut se parler. Ou quand je suis contrarié. L'alcool aide parfois à faire avaler la vie.

Après une brève cuisson au four pour cailler le lait, on enlève la peau délicatement. Il reste cette poche rose translucide veinée à travers laquelle on voit le liquide blanc durci. Je l'ai fait sauter à feu vif dans du beurre de lait cru, à peine quinze secondes de chaque côté, puis j'ai fait de toutes petites entailles sur le dessus dans lesquelles j'ai inséré des épines de sapin et une goutte de vanille.

C'est fragile comme un œuf à peine poché. J'ai enfourné à nouveau, pour une trentaine de minutes, mais en réalité c'était probablement vingt tellement j'avais hâte. Une pincée de sel. Servi en pointe de tarte, c'était plus tendre et soyeux que du foie gras, et d'une telle finesse que je ne voudrai plus jamais en refaire. Ce souvenir me reviendra chaque fois que j'embrasserai un sein de femme.

Les trois chasseurs et madame Parker m'ont dit que c'était bon, mais que la gigue était meilleure. Ils se sont servis trois fois de viande et au moins dix fois de sel. Gigue et patates pilées. Ils m'ont trouvé bizarre jusqu'à ce qu'ils apprennent que j'étais à demi Indien. Même sans faisandage, la viande était parfaite. Petit cours d'anatomie aidant, en leur expliquant les fibres musculaires et les pièces de cette «cuisse» de chevreuil, j'avais mangé la souris de la gigue d'un seul coup. Le vin était dégueulasse.

J'ai souhaité bonne nuit à tout le monde et je suis parti le soir même de l'auberge avec mon pick-up et un chevreuil auquel manquaient une fesse et une patte arrière. J'avais l'idée de préparer un jambon sec avec l'autre fesse : comme on en fait en Espagne avec les cochons. Jamon Serrano. Et d'ouvrir un restaurant.

À *TIRE-D'AILE*

Samedi soir, dans un village isolé du nord, un pick-up chargé d'un chevreuil mort à l'arrière s'immobilise devant un feu de circulation avant de prendre l'autoroute. Vert, jaune, rouge. Vert, jaune, rouge. L'arrêt est plus long que d'habitude. Son clignotant annonce un virage à droite pour la bretelle d'accès, mais le véhicule continue finalement, dépasse l'intersection et stationne devant un bar où grésille une silhouette de femme modelée dans un néon rose.

Ça sentait la vieille fumée de cigarette. L'odeur était incrustée jusque dans les tuiles de céramique du plancher. Un plafond suspendu. La musique plus forte qu'une conversation. Des hommes assis qui regardaient vers une petite scène éclairée où, en suivant le rythme de la musique, une fille en costume de bain et talons hauts dansait. Je me suis assis aussi et j'ai regardé. Une fois la gêne dissipée, j'ai compté au moins une douzaine de ces filles et juste un peu plus de clients, des hommes. Elles étaient assises au bar. Je me suis senti dévisagé et évalué. Une serveuse, habillée, m'a demandé ce que je voulais bien :

«Une Bud et une crème de menthe verte», j'ai dit, pendant que dans les haut-parleurs Ozzy Osbourne chantait à sa mère qu'il revenait à la maison.

Je n'avais jamais commandé ça avant. Je déteste la crème de menthe. Je ne sais pas pourquoi la nervosité me fait faire des trucs étranges. Je dis des choses quand je suis nerveux que je ne dirais jamais sinon. Quand j'arrive à les dire.

Elle s'est retournée et elle est vite revenue avec ma commande sur un plateau de plastique. Elle l'a déposée sur la table avec un cendrier propre.

«Douze et cinquante», qu'elle a fait après avoir calculé presque à voix haute devant moi. J'ai tendu quinze et j'ai dit merci. Elle a esquissé un sourire.

Une grande blonde, des seins énormes et une toute petite taille, s'est approchée et m'a demandé comment j'allais. Elle avait la voix juste un peu rauque, une haleine de cigarette synchronisée avec l'endroit et un bikini blanc. Petite conversation. Small talk. Un peu de bullshit. «Oui, la chasse.» «T'as tué, bravo.»

J'ai fait comme dans les avions avec mes voisins étrangers et j'ai dit que j'étais chirurgien. Elle ne pouvait pas ne pas me croire et elle mâchait une gomme aux fraises, pas assez forte pour couvrir son haleine. Elle était accroupie près de moi et tenait son équilibre d'une main sur ma cuisse. Les codes sont clairs. Elle m'a dit les prix et j'ai répondu que j'allais attendre un peu. Elle a insisté trente secondes en avançant sa main à l'intérieur de ma cuisse et elle a pressé ses seins sur mon avant-bras. Puis elle s'est relevée. J'imagine que, comme dans tout commerce, il y a des quotas à remplir. Elle était agressive et voulait très certainement faire son fric tôt dans la soirée et lever les pattes. En quittant, elle a passé sa main, si légère, sur ma nuque. Elle s'est retournée en souriant trop et en s'éloignant dans un déhanchement lent, démodé et éprouvé. C'est gros, c'est théâtral, mais c'est clair. Pas comme le théâtre justement.

J'aime comprendre les codes, ça me rend heureux.

J'étais bandé raide. Normalement, c'est assez. C'est surtout simple. Si je bande, c'est qu'il y a désir et, s'il y a désir, je veux faire l'amour. C'est arrivé plus d'une fois que la fille était parfaitement belle et baisable, mais que je ne bandais pas. Il me fallait plus. C'est d'ailleurs le plus redoutable des mensonges que les hommes entretiennent : faire croire aux femmes que leurs érections sont indépendantes de leur cerveau. Il n'y a pas deux choses plus reliées qu'elles dans tout l'univers. Encore plus que le jour et la nuit. J'imagine que faire porter le blâme à ma queue plutôt qu'à ma morale est moins grave. Circonstances atténuantes. Mais les femmes s'en consolent et elles ont accepté bien des infidélités durant des siècles sur ce simple mensonge. Pour bander, il faut du désir. La vérité, c'est que les hommes, dans leur plus profonde nature, peuvent désirer plus d'une femme à la fois. Également. C'est comme ça. Pour assurer une loyauté exclusive à une femme, un homme doit se faire violence. Et c'est de cette force violente qu'elles veulent l'assurance, en exigeant la fidélité. L'homme le plus fort est celui qui se dit non et sait s'entendre. J'aime comprendre les codes, ça me rend fidèle. J'ai calé d'un coup la crème de menthe et j'ai pris ma bière d'une main.

C'était la première fois depuis Emma que je touchais les seins d'une autre. En fait, que des seins me touchaient. La carte géopolitique de toutes mes croyances et promesses était bousculée par mes intentions et volontés. La nature humaine m'est apparue triste et, encore une fois, trop polarisée. Fuck saint Augustin, l'inventeur de la concupiscence. Pas question que je couche avec la danseuse ou une fille, ni quoi que ce soit d'autre. Mais la conséquence d'une cause morale que je tente de maîtriser m'exaspère. Il y a des soirs où les hommes ont des troubles de la personnalité.

N'existera-t-il jamais un monde à trois ou quatre pôles égaux? Quel est le véritable rôle de la poussière? Pourquoi je vis dans un univers qui se consume? La bouffe, le ménage, la soif? Pourquoi je ne peux pas faire, en même temps, deux actions parfaitement? Si j'imagine ce monde, c'est qu'il doit bien exister quelque part. FUCK YOU. Je ne veux pas croire que non.

«En tout cas, si tu changes d'idée, moi c'est Katie», que la danseuse blonde quasi nue m'avait lancé. Et elle a rejoint, toute déhanchée, son poste d'attente au bar.

Non seulement je n'ai pas changé d'idée, mais j'ai mille idées qui ne changent pas. Et ce sont elles qui m'inquiètent. Je me suis levé et suis reparti de cet endroit comme un héros en sursis. Tu serais fière de ton homme, Emma. J'ai gagné le premier round. Mon adversaire à moi, c'est une danseuse ; pour un autre gars, c'est une fille au bureau ; pour l'autre, c'est la serveuse du midi ; pour l'autre encore, c'est l'amie de sa femme.

J'ai refermé la portière du camion comme lorsqu'on ferme la télé. Un silence précieux et bizarre. J'ai mis le contact et j'ai pesé sur CD play avant de m'engager sur la route. *Ok Computer* de Radiohead en boucle : *Karma Police*.

La voix aiguë du chanteur répète plusieurs fois qu'il s'est perdu. J'ai dévié du O. Ça aurait pu être un O distorsionné. Comme écrit dans le noir.

À TIRE-D'AILE

Une intersection. Un pick-up transportant un chevreuil, sous un feu de circulation accroché par des fils, qui ballotte au vent. Le clignotement du pick-up indique qu'il va tourner à gauche. Le feu est vert. Jaune. Rouge. Vert. Jaune. Rouge. Vert. Jaune. Rouge. L'homme au volant retire un disque du lecteur et en insère un autre. Quelques minutes. L'homme descend, il trace une ligne au sol de son pied gauche. Il remonte sur son siège, referme la portière et le pick-up redémarre.

Je n'ai pas complété le O. Envie de revenir à la maison à cause d'une impression de vide. Le vide me rend coupable. Ou est-ce le contraire? Je pourrais toujours reprendre un jour. J'aurai une bonne raison. Faut être flexible.

J'ai laissé une marque au sol; j'aurais pu y laisser une pièce de dix sous comme font les golfeurs pour indiquer l'emplacement de leur balle sur le vert. J'ai mis un best of de Leonard Cohen. Interlude. Je reprendrai de là. Je veux un resto à moi.

Et surtout, je m'ennuyais d'elle. Début novembre.

À MON RETOUR DE MANIWAKI, j'ai appris par Emma que Pietro était mort. Nous avions gardé le contact. Sa présence était constante, quoique moins fréquente.

J'aurais aimé qu'il me parle. Lui parler. Le faire parler. J'imagine toutes ces paroles qu'il aurait dites. De sa voix grave et lente.

Il avait laissé une longue lettre, manuscrite.

«Cher Marc,
Je souhaite avoir la force d'appuyer sur la détente.
La vie est une fiction dans laquelle nous ne sommes pas tous des personnages.

On m'a dit qu'elle n'a de vrai que des détails si simples qu'ils n'apparaissent qu'aux dernières minutes de notre existence. Je n'aurai éprouvé de grands vertiges qu'en luttant contre ma nature. Abstinence et foi. Je suis un descendant des condottieri toscans, ces mercenaires du Moyen Âge qui bâtirent leur fortune et leur pouvoir sur les butins amassés en servant le maître le plus offrant. Loyauté défectueuse. J'ai tenté de réparer des générations entières en une seule vie.

Je me demande ce qui surgira au moment même où la mort sera dominante et irrémédiable en moi. À qui est-on naturellement loyal ? Par défaut.

À soi, à la personne qui partage notre vie, à nos enfants, à un ami…

J'espère que surgira un souvenir enfoui. Ma tête d'enfant sur les genoux de ma mère, déjà vieille, me berçant sous le soleil de Naples, lourd comme l'or, en attendant qu'il baisse et que je dorme. Ses doigts qui tracent le contour de mes oreilles et des tempes. Elle flatte aussi ma nuque. Je peux m'endormir.

J'aurais horreur d'être déçu par une insignifiance. Et j'espère encore.

Toutes ces vérités que l'on cache.

Donner du sang est dommageable pour la santé des donneurs mais c'est encore moins grave que d'en manquer dans un hôpital. Et toutes ces guerres, tous ces efforts de mort parce que quelqu'un de puissant croit que c'est pour le bien de son humanité.

Le véritable mal est toujours isolé, décalé de soi.

Les dommages les plus mortels sont éternellement provoqués par des accords tacites et collectifs. En 1870, Pie IX a déclaré l'infaillibilité des papes. Ils auront dorénavant toujours raison, quoi qu'ils disent. Va voir ce que Pie XII avait à dire sur l'Holocauste. »

Je lisais la lettre de Pietro en sachant que je ne la lirais qu'une seule fois. Il continuait.

« La vie est une fiction où la nature humaine joue, sans le savoir, son propre rôle. Après ce que je considère comme une vie complète et lucide, la mienne, je n'arrive pas à faire de bilan. Je n'ai rien compris de fondamental. Oh, j'ai bien sûr, et très dogmatiquement, prétendu le contraire par mes faits et gestes, par l'identité que la robe d'Église me confère.

J'ai tenu des propos, certains avec conviction et d'autres parce que des gens voulaient les entendre. J'ai été puissant parce que l'on m'a cru. Et non l'inverse. Comme les mercenaires. Quelle gravité.

Le verbe Devoir et son acte sont une abomination. Vous devriez, vous devez, on doit faire. Il est là, Satan : on remplace la volonté par une obligation. Vous devez sacrifier vos vies, vos générations. Vous devez être heureux, c'est un ordre.»

Continuez, Pietro, je vous entends. J'imagine les sons qui viennent d'outre-tombe. Je suis assis, à table, seul, mais je vous entends. Autour de moi le silence. MUTE, mais je vous entends.

J'entends penser. Comment est-ce possible ? Des siècles de progrès. Des millénaires d'avancées spectaculaires. Notre perception de la vitesse est erronée parce que, même si l'indicateur de vitesse donne trois cents kilomètres à l'heure, nous oublions que le décor aussi avance à la même vitesse.

«Oui… oui», j'ai dit à voix haute à Emma qui me demandait, inquiète, il me semble, si ça allait. Je n'avais pas même enlevé mon manteau de chasse.

Je me suis fait prendre au jeu le plus banal et le plus prévisible de l'humanité. Il m'aura fallu l'absence d'un homme pour en mesurer l'importance. Je déteste que cet homme se résume à quelques pages écrites.

«Cinq mille ans d'histoire récente et il y a toujours des guerres, des famines, des maladies, de la pauvreté. Nous sommes si lents. J'ai eu la certitude que la mort était une erreur génétique. Que l'on viendrait changer cet ordre et rétablir l'affront. J'ai eu tort.

Aujourd'hui, je suis fatigué de vivre comme on ressent la fatigue d'une nuit passée debout. Je suis en dette de sommeil. Une maladie d'usure me tue en cette heure.

Le soleil s'est levé, les yeux, rougis, me piquent et je veux dormir. J'imagine que ça fait partie de la quête moderne du bonheur. Être heureux. Par la richesse, par ses avoirs, par sa famille, son linge, sa nourriture, son corps, par ses croyances. Le septième jour, il se reposa et aspira au bonheur.

Quand les anges jouent pour Dieu, ils jouent Bach; mais quand c'est pour eux-mêmes, c'est Mozart qu'ils choisissent.

Même les anges veulent être heureux. Quel monde!

La course au bonheur a remplacé la simplicité de la solitude heureuse. Et voilà que l'obsession de l'Occident s'étend sournoisement aux religions orientales. Je ne sais pas si, quand on part, on doit laisser des objets ou des idées. Je sais qu'au restaurant on laisse un pourboire. Est-ce que je laisse quelque chose à ceux qui suivront?»

Vous me manquerez, Pietro. J'aurais aimé que vous puissiez connaître Emma. Elle est là devant moi à vouloir me consoler, mais je ne suis pas triste. Je suis heureux de vous lire et de vous entendre. Et si Dieu n'existait pas? Il me sera dorénavant plus facile de croire qu'il n'existe pas que de croire le contraire. J'ai des sirènes d'alarme qui retentissent en permanence dans ma tête. Je vivrai dorénavant dans une plénitude assourdissante.

Pietro me parlait de plus en plus loin. Les sept pages de sa lettre, dans ma main, me semblaient lourdes. Sa voix faiblissait. Elle se mêlait à celles d'Emma et d'Elmyna, qui lui demandait pourquoi je ne répondais pas. Ses mots se mêlaient à ma pensée. Il me semble que j'aurais écrit la même chose dans une lettre de suicide.

Une dernière page.

« Je revois l'abattage des poulets et j'imagine que ça pourrait être la dernière image de mon film, ma vie pourrait se terminer ainsi. Au mur d'un appentis derrière la maison, il y avait des cônes de métal, accrochés trop haut pour un garçon de mon âge, dans lesquels on glissait les poulets tête première, et ils se retrouvaient ainsi coincés, incapables de se débattre. Ma mère prenait leur tête qui dépassait du bas et donnait un tout petit coup de couteau silencieux en écartant la carotide du cou. Sans faire un bruit, les poulets restaient là, dans un calme forcé, et se vidaient de leur sang à grosses gouttes, comme la pluie quand il n'y a pas de vent. Ils gardaient les yeux ouverts jusqu'à la dernière seconde puis, miraculeusement, me semblait-il, puisque je ne les avais jamais vus cligner des yeux, leurs paupières apparaissaient. Morts. Nous avons aussi des paupières. Et Dieu a autant besoin de nous que nous de lui. »

Emma et la petite sont sorties de la pièce. Je me suis couché sur le divan et je me suis rappelé un souvenir. Une fois, je m'étais masturbé en pensant à la Sainte Vierge, enfin, à la statue de la Sainte Vierge, que je trouvais belle, la femme d'entre toutes les femmes. Elle était là dans cette statue de plâtre, grandeur nature, au sous-sol de la chapelle de l'école. La main gauche sur le cœur et la droite, celle sur laquelle j'avais éjaculé, ouverte comme pour implorer mon âme. J'avais seize ans. Et je ne pouvais pas me débarrasser de cette envie.

Donner la mort n'est pas un jeu, malgré ce que plusieurs croient, mais une seconde très lucide où cette certitude responsable de provoquer la mort est le seul moment pendant lequel il existe un véritable dialogue entre l'homme et sa conscience.

Travailler dans un abattoir n'a rien à voir avec ces efforts physiques de rapprochement. Vouloir intentionnellement donner la mort à un être vivant, indépendamment de soi, est un acte aussi symbolique que de faire le signe de la croix. Et toute cette quête servait aussi à repousser ma propre fin. À l'assourdir. À l'enivrer. La lettre de Pietro était un clocher qui sonne. Un angélus.

L'aspartame est un poison.

J'imagine qu'à la fin d'une longue vie, riche, intense et tranquille, j'arriverai à la conclusion que la psyché humaine n'a pas bronché depuis des siècles. Mais peut-être le surplace devrait-il être satisfaisant. Pourquoi toujours tendre à l'avancée ? L'obsession du progrès est castrante. L'impotence de l'esprit ne se soigne pas dans une clinique de fertilité. Et le Viagra ne peut rien pour les troubles érectiles des idées.

J'aurais voulu écrire une pièce de théâtre pour vous, Pietro, car lorsqu'un proche meurt, un vide se crée et on est emporté par des excès de grande et bonne volonté. J'avais trouvé le titre : *Les chapons du bonheur*. Tout le premier acte se serait déroulé dans un confessionnal. Et la suite au paradis.

Les religions sont les soins palliatifs de l'humanité.

J'ai fait le deuil de mon espèce et je n'ai pas le moindre ressentiment. Dieu n'a pas créé les hommes égaux, les hommes se sont plutôt inventé un dieu qui les aurait faits égaux s'il avait existé.

Pourquoi cette honte, ce refus de prendre nos vies pour ce qu'elles sont? Je ne parle pas d'éliminer les pauvres d'esprit, ni d'abattre les malades et les vieux, ou de rendre infertiles des pays entiers et d'éteindre des peuples, mais du contraire, justement : d'accepter ces différences et de voir à ce qu'elles en soient moins. Comme une évangélisation qui ne servirait pas le pouvoir. Je deviens optimiste quand je bois. ☺

J'ai développé un respect pour la race indigène de ma mère parce qu'elle a eu un fonctionnement perpendiculaire au modèle occidental moderne. L'Amérique lui a appartenu. Vraiment. Avant de devenir une adolescente mal dans sa peau.

Les oiseaux sauvages n'ont jamais connu le maïs (proverbe).

Nous nous sommes fait gaver d'un dieu qui n'est pas le nôtre.

L'âme peut-elle être comme le foie des canards que l'on gave?

La lettre de Pietro se terminait ainsi :

« J'aurais aimé qu'aux dernières secondes de ma vie tu m'apprennes à dire ce mot, si beau, dans ta langue maternelle parce qu'il dit plus que toutes les phrases qui voudront l'expliquer : Kattonhiha*. »

---

* Être en déni.

Je me suis endormi. Je n'ai pas pleuré. J'ai jeté la lettre entière. Et Pietro ne m'aura plus jamais parlé.

Je ne suis pas mercenaire. Pas patriote. Je n'ai pas de sentiments particuliers. Ni d'idéologies politiques. Je vote autant à gauche qu'à droite, quand je vote. Ma morale est mourante. Quelqu'un pourrait-il me piquer de Foi, d'Amour, de Haine ou de l'idée du Bonheur?

La seule force à laquelle je reconnais une ascendance sur moi est la superstition. Pas celle du ciel ou des sorcières, mais celle sur laquelle je peux avoir une action. Celle qui me dicte de forcer notre existence.

J'aurais pu t'inventer, Emma, si tu n'avais pas été là.

Est-ce qu'un miracle peut exister sans religion?

Je suis reconnaissant au Grand Destin de ne pas m'avoir fait roi, commandant d'armée, pape ou chef de pays. Parce que alors j'aurais joué avec la carte du monde. J'aurais fait un bon dictateur, des guerres, des alliances et des millions de morts. Juste comme ça. Par volonté sociale. Par humanité. Pour que l'Histoire soit un fait vécu.

J'ai préféré m'esquiver.

Je me suis rendormi.

Mon deuil de Pietro n'a pas été long. Ça ne m'inquiète pas, car le temps, tel le vent, ponce toutes les aspérités du paysage et finit par adoucir la douleur la plus pointue. Comme pour les bêtes abattues.

La mémoire persiste, elle est une stèle tranchante et les souvenirs deviennent de l'onguent, juste au cas.

Je vais repartir. Je le sais.

J'aime la fuite. C'est le seul endroit d'où je ne fuirai pas. Vers toute destination, il existe une voie que je m'empresse de marquer d'un signe d'urgence. On court toujours quand on s'enfuit. Cette fuite me permet de ne pas me retourner. Ne pas regarder en arrière. Un luxe. Un privilège volé à la mémoire de toutes ces années, les plus laides et les plus belles, que notre cerveau-conscience enregistre et grave. À notre insu.

Les bons coups comme les fautes, sans égard à leur sens moral. Je fuis telle la fumée qui s'échappe d'une bûche froide et qui brûle encore : en ne laissant qu'une trace gazeuse, la fumée, et un petit amas de cendres grises à peine plus lourd que la poussière. Je t'aime, Emma. Mais je ne sais pas m'arrêter là. Est-ce seulement normal d'aimer ? C'est peut-être une faute que je ne saurais t'avouer de face.

Les mots sont aussi une fuite rapide vers une incarnation de vérité.

Je déteste Pietro d'avoir su mourir. Il a une longueur d'avance que je n'arrive pas à accepter. C'est la théorie de la régression. Des espèces survivent et s'adaptent, les plus fortes surtout, mais le résultat final est toujours le même.

J'ai tellement souhaité t'aimer sans faillir, Emma. Mais je sais que je faillirai. Pourrais-je un jour finir d'expier ? Je tue parce que la mort m'obsède dans son horrible beauté. Et cet amour que je braconne sera-t-il jamais assouvi ?

Le restaurant a été ouvert en quelques semaines seulement après mon retour de Maniwaki, dans un espace long et étroit comme un bistro français. Pas de nappes, évidemment. Des tables en bois et une cuisine ouverte sur la salle à manger. Le premier plat cuisiné fut des bébés choux de Bruxelles, à grande friture, quelques secondes, assaisonnés d'ail, d'un soupçon de piments forts et de beaucoup de feuilles de menthe, que normalement j'évite. En accompagnement d'un plat de tripes de chevreuil mijotées. Dom Pérignon 1996. Bouchonné. On l'a donc bu moitié-moitié avec du Red Bull. Le dessert, c'était un Jell-O au sirop d'érable, en forme de cœur, avec au centre un autre petit cœur de foie gras au sel; des petites bouchées de la taille d'une pièce d'un dollar. Sur le menu, ça s'appelait «des cœurs gras».

Emma et moi, c'est du solide. Je me le répétais tous les matins, et plusieurs fois par jour. Un respect blindé dont je soupçonnais la seule faille: j'étais le maillon fort et faible. D'elle, de moi et de nous. Le Saint-Esprit de la déception. Je l'aimais d'un amour mouvant. Si je m'étais débattu, je me serais enfoncé. Je soupçonnais ma conscience de s'effriter comme les feuilles au sol. D'être poreuse et de s'être minée. D'être de l'humus.

Je me suis levé un matin en croyant pouvoir tout résumer par le désir. De soi, de l'autre, de nous. Mais le désir social m'aura contaminé. Je lève l'arme, je mire et c'est moi qui apparais derrière la croix.

J'avais onze ans la première fois que j'ai récupéré un Kleenex tombé à côté de la poubelle. Normalement, je l'aurais laissé traîner au sol. Je me faisais toujours des promesses intérieures à ce jeu de basketball de morve.

Si je réussis mon panier, je serai riche.

Si je réussis mon panier, la belle Janicka dans ma classe va m'embrasser.

Si je réussis mon panier, je recevrai un jeu Coleco à mon anniversaire.

Si je réussis mon panier, le bon Dieu va m'apparaître.

Et bien sûr, quand la boule de cellulose et de mucus tombait à côté de la cible, j'avais le droit de recommencer et le jeu se transformait en série de deux de trois ou de trois de cinq jusqu'à ce que je gagne. J'ai fait des centaines de vœux par jour jusqu'à la fin de mon adolescence. Et certains vœux se sont réalisés, d'autres non, et un jour le jeu est devenu l'écho d'une crainte et des exigences. La loterie humaine de l'espoir. Celle qui fait espérer. Celle qui met un baume sur la grande déception.

Puis je me suis trouvé comme un étranger à l'idée que j'avais de moi. Je me suis alors mis à laisser traîner au sol les Kleenex qui ne tombaient pas dans la poubelle. À ne plus ramasser mes propres vœux ratés. Comme des kilomètres d'asphalte bouffés à ne rien dire à personne. À cacher des milliards de vérités intérieures à des milliards de gens. Toutes ces idées qui n'existeront pas. Suis-je seul dans l'univers à ne jamais cesser de penser et de désirer? À faire de l'angoisse lucide sur tout et sur rien? Sans arrêt? Sauf quand je bois?

Il y a des matins où je suis fatigué d'être moi. Surtout ce matin, dans la voiture. J'aimerais être un autre. Avoir l'angoisse de l'autre me pousse à ne pas m'en faire.

Pourquoi tu m'aimes, Emma?

J'imagine toujours les cueilleurs des fruits que je mange. À cinq mille kilomètres au sud de moi, un homme, une femme, un enfant a cueilli la banane que je mange. La clémentine de décembre. Est-ce que le Chinois de Xuang Pei s'est demandé d'où venait l'extrait de vésicule biliaire de l'ours noir qu'il allait ingérer pour se donner une belle érection? On oublie trop facilement que tout est lié; les gens viennent d'autres gens; les choses viennent d'autres choses.

Emma a voulu un autre enfant. Comme une requête.

«Ma vie n'est pas encore complète, je le sais.»

J'ai envié sa certitude. Comme quand je suis saoul et que je sais plein de trucs. Ou que je doute moins.

Pour le bénéfice de notre espèce, ai-je pensé? T'es sûre? De moi? C'est aux femmes qu'il incombe de perpétuer la race. Elles savent.

C'est elle qui décidera. Si on se quitte un jour, ce sera elle. Il y a le restaurant qu'on vient d'ouvrir. La petite déjà avec nous. Et puis ce besoin de reproduction. Je partage la femme que j'aime avec l'invisible avancée de l'espèce humaine. Et bientôt ce n'est plus moi qui la partagerai avec nos enfants, mais bien ces derniers qui accepteront que je l'embrasse encore quelques fois par mois, sans trop protester.

À mon grand étonnement, faire un enfant est devenu le fantasme absolu. La pensée la plus bandante du monde. Mille vésicules d'ours et des tonnes d'ailerons de requin. FUCK les autres espèces.

J'ai compris le chevreuil. Éjaculer dans une femme fertile est devenu aussi signifiant qu'aller à la chasse. Vous pouvez me tirer, mais laissez-moi me reproduire un autre automne. Les conséquences aussi. Merci, Emma, pour cela. Pas de précaution, pas de souci, pas d'insistance, pas de faux-semblant, cette femme veut seulement que je lui jouisse dedans. Ce désir. Je pourrais bander tout un siècle. J'ai cru au désir.

De temps en temps, je pensais à autre chose.

Savais-tu, Emma, que c'est le concile de Latran, sept siècles après Jésus-Christ, qui a décrété la virginité de la Vierge Marie? Sept cents ans après sa mort.

Enfin, je me sens utile. J'existe parce que mon devoir de race est accompli. Et c'est l'idée la plus érotisante qui soit. Je me suis même demandé si ce n'était pas un piège. Pourquoi faut-il qu'un plaisir soit associé à cet acte? Les hassidiques ne couvrent-ils pas leurs femmes au complet d'un drap blanc avec une seule ouverture pour le contact génital? Fini, on remet la perruque, et elle accouche. AH Homan?!

Les gais sont-ils une race supérieure qui imiterait l'acte de reproduction sans le danger du surnombre? La Terre, c'est comme un ascenseur: il y a une capacité maximale à ne pas dépasser.

FAUTE D'ORTHOGRAPHE.

J'aime conduire saoul. Tenir la route comme un gouvernail de bateau. Avec du mou. La musique forte. La nuit. Pas le jour.

Pietro est mort. Je n'ai de comptes à rendre qu'à toi, chère Emma. Je n'ai pas couché avec la danseuse. Je l'ai désirée comme des milliers d'autres et je résiste avec toute la force de l'Univers, s'il existe. Ils disent que, depuis le Big Bang, il est en expansion. Mais dans quoi? Dans quel espace prend-il donc cette expansion?

Mon univers est horizontal. Une route sinueuse qui s'étend. L'expansion est invisible à nos yeux sans un télescope de la grosseur d'une planète.

Le resto est ouvert. 27 décembre. Cadeaux, vœux, neige et encore ma tête qui fait des bruits d'estomac affamé. Je suis retourné à Maniwaki. Le même vide qui m'a poussé à rentrer à Montréal, fin octobre, me ramène encore à ce carrefour du nord où je dois compléter mon O. Et vice versa. C'est comme la foi, elle encore. On le fait parce qu'on a décidé d'y croire, c'est tout.

Tsothohra. Le temps du froid. Le mois de décembre.

L'échec n'est rien d'autre qu'un mauvais synchronisme entre nos désirs profonds et la réalité. L'explication est obligatoire en Amérique. Des fois j'ai envie d'être trisomique.

J'ai pris la direction de Mont-Laurier. Ne pose pas de question. Un feu clignotant suspendu à quatre fils, comme écarté, au-dessus d'une rue déserte. C'est à une semblable intersection qu'on s'est rencontrés au Michigan. Je sais maintenant ce qui m'avait donné la chienne, il y a deux mois. Et je sais aussi pourquoi je suis revenu.

Je continue. Je prends à gauche pour compléter le O. C'est fait. Maniwaki.

Je sais. Il ne restait que quelques mètres. J'aurais facilement pu compléter la boucle la fois d'avant. Mais il n'y a que la projection dans le futur qui me tient véritablement en vie. Une chose à réaliser plus tard, et mon avenir est réglé. Ma survie passe par ces bonds dans le futur. Un kangourou existentiel. Je reste en vie parce que des choses sont prévues. Les projets sont des subpœna. Me semble que j'aurais pu mourir, à ce carrefour, sous les feux de circulation, à l'endroit même où j'avais déjà tracé une ligne de reprise du pied gauche. Les deux mois occupés à ouvrir le resto et à faire un enfant n'auront été que les coulisses d'une pièce. Le making of d'une autre pièce. Il ne me restera maintenant que le U à tracer pour dire à l'Amérique ce que j'ai à lui dire.

Une autre envie. Une autre hésitation. J'ai refait la même pause, au même carrefour, et j'ai remis le même disque de Leonard Cohen. Je me suis arrêté au même endroit. J'ai revu ma marque au sol, sous la neige. À droite, je reviens à la maison, à gauche la danseuse.

Cohen a décidé pour moi quand, dans son dernier couplet de *Democracy*, il a dit à travers les haut-parleurs qu'il n'est pas de droite ni de gauche mais qu'il restera à la maison devant un écran sans espoir. Je n'irai ni à droite ni à gauche, mais traverserai ce carrefour en direction du nord. L'immobilité aura tué tant de gens. J'ai transcendé la polarisation maison-danseuse. Dans le rétroviseur, il y a un sourire sur mon visage.

Parc de La Vérendrye. Puis à l'ouest, plus tard, et enfin au nord en direction de Val-d'Or. Mon arrière-grand-père avait été chercheur d'or à Dawson. Toujours chercher. J'arrive à la conclusion que trouver m'emmerde. Et c'est presque tout le temps décevant.

Après quatre heures de route où je n'aurai croisé que trois voitures et un semi-remorque, je suis arrivé à Amos à sept heures du matin. J'ai fait le plein d'essence puis j'ai pris la 109 Nord en direction de Matagami. La route de la baie James commence ici.

Un autre kilomètre zéro.

J'espère qu'un jour on sera vieux ensemble, Emma. Qu'on va se bercer sur la galerie, le dimanche, en attendant que les enfants viennent manger à la maison. La cuisine va sentir le gibier braisé au thym et à la sarriette. On va se dire qu'on a bien fait. Du mieux qu'on pouvait.

À Matagami, j'ai refait le plein et je me suis demandé quand les autorités de la santé publique nous informeraient que ce sont les ondes de courtes fréquences qui dérèglent la santé humaine. Les télévisions, téléphones, radars, ondes satellites et autres sont responsables d'un dérèglement magnético-électrique cellulaire qui cause, entre autres choses, les cancers. BlackBerry tumor.

Il fait moins vingt-huit degrés Celsius ce matin de fin décembre. Le ciel est clair à l'infini. Bleu foncé. Au garage, il n'y a que des Indiens cris. En prenant la route de la baie James, on doit s'inscrire à la barrière en fournissant ses coordonnées, par mesure de sécurité.

«La prochaine station de gaz est au kilomètre 381, que le préposé me dit. Attention aux caribous, y a des gars qui les ont vus à partir du 200.»

Un million de bêtes qui partent du soixantième parallèle et descendent jusqu'au cinquante-deuxième. Pour se nourrir en hiver. Refaire leurs forces, remonter au nord et s'y reproduire à nouveau.

«Merci.»

Et j'ai roulé. Roulé. Et encore roulé. Quand ça fait longtemps qu'on roule, il en reste encore dix fois plus. La route n'a pas de fin. De temps en temps, un tout petit poteau indique le parallèle : 52, 53, 54. L'échelle a changé. On ne compte plus les kilomètres, mais la latitude. Je m'éloigne du monde.

La route va ainsi jusqu'à Radisson, pendant six cent vingt-deux kilomètres. Au kilomètre cinq cent quarante-quatre, on peut tourner à droite. C'est l'euphorie. La route Transtaïga. Encore sept cents kilomètres d'ouest en est, jusqu'à Caniapiscau. Toutes les centrales hydroélectriques qui fournissent le nord-est de l'Amérique du Nord s'y trouvent. LG2, LG3, LG4, La Forge-1, La Forge-2, Brisay.

Devant, les arbres s'enfoncent. Ils deviennent de plus en plus petits, rachitiques. Les collines s'aplatissent, usées par des millions d'années de vents arctiques et par les glaciations. Des milliers de pylônes électriques se tiennent entre eux comme des moulins à vent modernes de Cervantès. À chaque tournant, à chaque plateau, l'infini réapparaît. Et au bout d'un moment, il devient encore plus infini. La taïga laisse place à la toundra, et cette dernière devient peu à peu un sentiment amoureux. Lent et extraordinaire. Repoussé, rude, immobile et grandiose.

Il me semble n'avoir rencontré que des Cris. Pas d'Inuits. Trop au sud. Ils apparaissent au cinquante-quatrième parallèle, juste après Radisson. Ici, il fait noir plus tard le matin, et plus tôt en fin de journée. Je suis seul. Leonard Cohen chante en boucle depuis Mont-Laurier. Il se fait faire une pipe par Janis Joplin au Chelsea Hotel de la vingt-troisième rue à New York pendant qu'une limousine l'attend, elle, dans la rue. Le miracle, ce n'est pas la pipe, c'est la chanson qui dure toujours.

J'ai vu mes premiers caribous au kilomètre 220. Il faut ralentir parce que, surpris, ils préfèrent courir sur la route que la quitter. Un autre monde. Ces bêtes sont descendues du nord dans la plus grande et la plus longue migration sauvage chez les mammifères. Les Kurdes ont migré. Les Juifs, les Africains de l'Ouest... L'homme blanc occidental américain ne migre plus depuis des siècles. Il a trouvé assez de nourriture, de sécurité, de confort et de femelles sur ce continent. Il est devenu paresseux. Il a découvert la friture. Les caribous font l'équivalent de la distance

Miami – Montréal deux fois par année, chaque année. Merveilleuses bêtes préhistoriques. Indépendantes et affranchies. Des centaines de milliers d'entre elles ne verront jamais d'humains durant leur existence.

En les apercevant, j'ai eu envie de sang chaud mêlé à des aiguilles d'épinettes broyées. Boire et manger ainsi la seule vie ambiante. Il n'y a ici que de la neige et des épinettes. Quelquefois des caribous. Le monde est simple. Le sol est blanc. Les épinettes sont brunes, presque noires. La même couleur que la Tunique d'Argenteuil.

Leur chair est riche en fer. Hépatique. Les femmes cries et inuites ne connaissent pas l'anémie.

Selon la loi, je peux chasser à partir du kilomètre quatre cent quatre-vingt-dix-huit de la route de la Baie-James jusqu'à Radisson, et sur toute la Transtaïga.

J'ai roulé sans interruption. La fin n'a pas de fin. Je t'aime, Emma. Ma toundra. Comment changer de monde sans dormir ou sans marquer la transition par un rituel comme des rêves, un baiser ou la nuit ? Cette interminable avancée continue m'éloigne de toi et me rapproche de moi. Peut-être la foi migre-t-elle aussi ? J'ai réussi à changer de monde en gardant toute ma tête. Mis à part l'alcool que je bois parce que ça rend le voyage moins long.

Je me suis arrêté entre le quatre cent quatre-vingt-dix-sept et le quatre cent quatre-vingt-dix-huit, juste avant ce dernier. J'ai attendu avec monsieur Cohen une bonne heure ; trois camions, des Cris à bord, m'ont croisé, et au moment où il entamait *Halleluiah*, un petit troupeau de cinq caribous a voulu traverser le chemin. À cette époque de l'année, les mâles et les femelles ne vivent plus ensemble. *Dead meat walking*. Ils ne se rencontrent que pour s'accoupler plus tôt à l'automne. Pas de psys, pas d'avocats et aucune culpabilité. La race se porte bien. Pas de garde partagée. C'est la différence entre eux et moi. Je n'aimerais pas m'éloigner d'Elmyna.

La migration vers les terres du sud commence peu de temps après l'accouplement. Principalement pour se nourrir, les bêtes, par plusieurs centaines, vont parcourir des milliers de kilomètres. Plus il fait froid tôt dans la saison, plus la migration s'active, car les caribous utilisent les lacs gelés pour circuler vers les lieux d'alimentation hivernaux situés au sud. Un sud encore très loin au nord de nous.

Leurs pattes sont comme des cuillères à soupe inversées, recourbées vers l'intérieur, concaves, ayant ainsi plus de portance sur la neige tout en facilitant le grattage de celle-ci à la recherche du précieux lichen qui leur fournira l'énergie nécessaire à leur survie. Caribou : celui qui gratte le sol pour se nourrir.

Il y avait un petit faon dans le groupe de cinq. Des femelles, donc, le Grand Ordre leur ayant octroyé le droit inaliénable de la garde des enfants de l'espèce.

Ils sont restés dix longues minutes à lécher les derniers mètres du bord de la route au kilomètre 497, à chercher le chlorure de calcium que l'on épand en grande quantité, mélangé au sable, pour faire fondre la neige et la glace. Je suis sorti du pick-up. J'ai chargé ma carabine. Et j'ai miré la plus grosse femelle du groupe. Je voyais la pancarte verte et blanche dans ma lunette de visée, un kilomètre plus loin, annonçant légalement le début de la zone de chasse. Les caribous entre elle et moi.

Je ne sais pas pourquoi, on cherche la plus grosse bête. Quand nos enfants naissent, le seul repère signifiant est encore le poids du poupon, six livres trois onces, sept livres et huit, huit et quatre. C'est le même constat à la chasse. Un chevreuil de deux cent quarante livres. Un orignal de sept cent vingt livres, une femelle caribou de cent soixante-quinze livres. Y a juste pour les adultes que ça ne marche pas. Une femme de deux cent trente livres, ce n'est pas un trophée.

J'ai chargé la carabine de deux cartouches. Mon cœur courait vite et fort. Comme quand on s'est embrassés la première fois. J'ai miré.

Retour.

Le préposé au poste d'enregistrement de Matagami m'a demandé si j'avais tué des caribous. «Non», j'ai répondu, en tapotant les deux cartouches intactes dans la poche droite de mon manteau. Je n'avais pas tiré.

La route est comme un album de souvenirs.

La première fois qu'on s'est embrassés, au petit matin, à Toronto, après m'avoir dit en mohawk qu'elle était fatiguée, elle a déclaré: «I like the softness of silk.» Je ne sais pas pourquoi. Plein de phrases comme ça qui n'avaient pas besoin d'aller plus loin. Moi, j'ai répondu: «Between the months of June and August of 1989, I only watched TV with my head upside down.» Elle n'a rien ajouté. Je lui ai dit que le Sudarium d'Oviedo, en Espagne, était une pièce de tissu qui avait enveloppé la tête du Christ à sa descente de croix. Elle a fait signe que non. Je ne sais toujours pas pourquoi.

On a fait disparaître nos sourires en s'embrassant une deuxième fois. Et on s'était endormis sans aller plus loin.

JE N'AI PAS TIRÉ SUR LES CARIBOUS parce que j'en ai été incapable. Ils étaient là. Cent pieds devant. Des cibles immobiles, gris pâle. L'air un peu bête, ils me fixaient. Le doigt sur la détente. Dans ma lunette, je voyais luire les poils qui les gardent au chaud. Il s'échappait de mes mains une vapeur douce vers le ciel. Par celle qui s'échappait de leurs narines, je les voyais expirer. Tous les sons amplifiés. La neige est bleue. Le temps présent est sec. Il fait moins vingt-cinq, mais j'ai oublié le froid à cause de la nervosité. Je n'entends plus Leonard Cohen qui chante encore des mots intelligents sur l'amour. C'est la première fois que je ne suis plus jaloux de lui. J'ai baissé l'arme. Les caribous sont apparus plus petits, mais plus vivants aussi. La vie continue. Ils ne savent rien. Je les envie. Ils sont presque morts. Sans le savoir. Raté.

J'imagine souvent être à la place de ces animaux que j'abats.

Que saurais-je? Qu'une race m'a tué? Que ce bruit sec et tonnant est la fin? Que cette brûlure au corps m'endormira? Est-ce que ça fait mal, ou est-ce que l'intensité du moment relègue la douleur à l'arrière-plan? Est-ce mieux de ne pas savoir qu'une balle de tête éteint toutes les lumières? Est-ce vraiment une plus-value de mourir subitement sans souffrir? Sans le savoir?

Peut-on se gracier soi-même?

Quand je suis remonté dans le pick-up pour faire demi-tour, à travers le bruit de mes pas qui faisaient un son de Corn Flakes qu'on écrase sur une neige arctique, Leonard chantait quelque chose à propos de philosophie et de Johnny Walker.

J'ai appuyé sur replay.

Quand j'ai bu, je chante et je crois les mots que j'entends. Ça me rend plus amoureux. Comme si c'était moi qui les disais.

J'aurais voulu faire un plat de tripes et chorizo avec les estomacs de caribous et un piment espagnol, comme à l'ouverture du resto. J'aurais voulu farcir le bonnet avec des huîtres, manger la langue en sashimi, faire du boudin à l'aiguille d'épinette. Manger les yeux tels des bonbons, comme les enfants inuits.

J'ai mangé un sac de Doritos qui traînait dans le pick-up.

J'ai quitté la toundra et rejoint la taïga. Puis la forêt boréale. Quinze heures de route. À Mont-Laurier, j'ai pris Maniwaki – Pembroke, vers l'Ontario, Bancroft ensuite. J'ai traversé le lac Ontario sur un traversier à huit places à Cobourg et suis arrivé à Rochester, dans l'État de New York, sans même voir un douanier. Direction Ithaca, un peu plus au sud. Une marque d'arme à feu porte ce nom. Cooperstown – Albany – Saratoga Springs. Le pays mohawk. On a longtemps cru que les Mohawks étaient cannibales, qu'ils mangeaient leurs ennemis. Mohawk veut dire : ceux qui mangent des choses animées. Comme moi. Le pays des ancêtres de ma mère n'avait pas de frontières. Du sud de l'Hudson au Saint-Laurent à Montréal.

Et le reste de l'autoroute 87 dans les Appalaches, jusqu'à la frontière canadienne du Québec, à Saint-Bernard-de-Lacolle.

« Vous demeurez où ? Depuis quand êtes-vous parti ? Avez-vous acheté ou rapportez-vous des choses autres que vos effets personnels ?

— Montréal… dix jours… non…

— Le but de votre voyage ? »

Je vais devoir vous mentir. C'est pour votre bien. Sur la banquette du passager, j'ai regardé du coin de l'œil la carte de l'Amérique avec le FUCK YOU écrit dessus. J'aurais voulu tout lui expliquer, comme à toi d'ailleurs, Emma, depuis l'histoire avec Denise au cégep. Puis, non. J'adore traverser les frontières. L'adrénaline. La vérité n'est pas faite pour vous, gardien anonyme de fausses frontières, géographiques. Saurez-vous quoi en faire ? Personne ne nous oblige à être sincère. Vous n'êtes pas qualifié pour l'entendre. On vous a formé pour soupçonner et deviner les mensonges. Pas pour vérifier les fautes d'orthographe d'un gars qui écrit FUCK YOU avec son pick-up sur la page d'un continent.

Mille quatre-vingt-douze kilomètres. Retour à Montréal.

Je ne suis pas indispensable au fonctionnement des autres. Les choses poursuivent leur va-et-vient dans un mouvement imperceptible et régulé par plus fort et plus grand que soi. Des fois, l'absence est un régulateur. Rahtentyes*.

Un jour, à propos de la vie, la mienne en particulier : « Ah ! ce n'était que ça. »

Je ne veux pas que ça ne soit que ça. Je ne veux pas comprendre et réduire. Je déteste les rétrospectives, elles colmatent le temps avec des murs blancs.

J'aimerais par ailleurs saisir le cadre de l'espace que l'on occupe moralement.

Pietro me manque. Je ne serai pas infaillible, mais je peux agir avant de gaffer. Entre deux déceptions, choisir la moindre. À ce rythme, je ne dépasserai pas trente-cinq ans. Je sais tuer les bêtes vivantes.

La déception est une échéance que j'essaie de repousser.

_____

* Partir.

Un homme descend d'un pick-up, il marche lentement, comme engourdi, et entre dans une maison, un sac sur le dos et un étui dans les mains. Il range son arme à feu dans une armoire à serrure et en retire lentement un autre étui avec une autre arme qu'il pose à côté. Il verrouille l'armoire et se rend devant le frigo, sur lequel est affichée la carte postale d'un tableau représentant une descente de croix. Il ouvre la porte et, quand il la referme, il a des formes noires dans une main. Une femme et une fillette dorment à l'étage.

En rentrant à la maison, j'ai mangé trois grosses truffes noires, fraîches. Crues. J'en chierai l'odeur deux jours durant. Ce n'était pas prévu.

Il y a de plus en plus de jours dans l'année où je suis capable de lui dire que je l'aime. Dire, c'est comme la détente d'un fusil. Cet amour juge et condamne une amère déception. Insupportable, immonde et pire que tout. Ne pas décevoir Emma.

Je l'aime quand elle relève ses cheveux et souffle d'exaspération devant le miroir le matin. Quand elle compte ses rides et s'en cherche des nouvelles. Quand elle me demande encore si je l'aime, et pourquoi. Et que mes réponses sont toujours insignifiantes. Quand elle me pousse avec son nez pour que nos bouches se touchent.

J'adore quand elle se tourne d'un quart pour se regarder de profil encore, dans le miroir, et se lève sur la pointe des pieds pour mieux se voir les fesses.

Je suis toujours amoureux et ça m'étonne, je t'aime.

Je dois apprendre à faire sortir ce son.

En 1983, à l'Université Stanford, Californie, on a prouvé hors de tout doute que la sexualité atténue l'agressivité et la violence des hommes. On a aussi assez de documentation pour affirmer que les hormones sont responsables des guerres, des révolutions, et qu'elles sont à la base de toutes les religions. Surtout les mois de mai.

À l'intérieur, un système fonctionne à mon insu. Il n'est pas spirituel, je le sais maintenant.

29 DÉCEMBRE.

J'ai toujours aimé revenir à la maison. Il neige à Montréal.

Quand j'ai rangé la carabine dans l'armoire et que j'ai sorti mon fusil de son étui, j'ai pensé à la première fois où Emma et moi avons fait l'amour. Je me souviens de l'urgence d'entrer en elle. Et puis ça s'est fait sans rien forcer, tous désirs alignés. Je me suis retrouvé en elle et, à bien y repenser, c'est la première véritable Foi que j'ai décidé d'avoir. Dirigé par un absolu. Je ne serai pas pape, mais je me croirai aussi fort. Sans cynisme.

La seule croyance qui relève de mon entière responsabilité : celle de la chair impérative. Celle qui commande la survie de ma race, mais qui est aussi liée au plaisir, comme une puce informatique, par précaution, en constatant la détérioration de notre état.

Je soupçonne le Grand Ordre d'avoir associé le plaisir à notre reproduction par mesure de sécurité, de survie. Juste au cas où nous aurions tous voulu devenir des papes abstinents. Et toutes ces choses qui ne sont pas moi. Qui ne sont pas nous. Les oiseaux migrateurs sont fidèles ; pas les mammifères, dont je suis. Les femelles de ma race me demandent de l'être et j'acquiesce. Nous controns la Nature. Aux armes, citoyens !

Je l'aime quand elle cligne des paupières, quand elle enlève ses souliers le soir, en revenant d'une journée passée debout. J'aime quand elle se concentre pour appliquer de la couleur sur ses lèvres, sur ses cils et ses paupières. Quand elle se berce, seule en silence. Quand elle joue, préoccupée, avec sa boucle d'oreille ou quand elle ferme les yeux dans son bain. Quand elle se met une crème. Ou quand elle me regarde et qu'elle croit que je ne la vois pas.

J'ai essayé de concilier mes désirs et mes ordres. Avec les siens.

Comment fait-on pour ne pas être cynique ? Les délégués de pouvoir, de l'ONU, décrètent un cessez-le-feu au Moyen-Orient, et cela suffit pour panser des vraies plaies, donner du répit et sauver de vraies vies. Le Pouvoir n'a pas de quotidien. Le plus grand bien du plus grand nombre est une fumisterie. Le berger conduit toujours ses moutons pour son profit, même à l'abattoir.

Si peu y ont échappé au vingtième siècle.

J'AI CHARGÉ LE FUSIL de deux cartouches, alors qu'une seule suffit, évidemment. Et j'ai voulu appuyer sur la détente, mais j'ai perdu conscience.

J'ai ouvert les yeux et j'ai vu le plafond. J'ai entendu des bruits dehors. À la télé, un vidéoclip d'Oasis. Passants et autos dehors. Comme d'habitude.

Je n'ai pas défait mon sac de linge, il est resté dans l'entrée. J'ai rangé le fusil. Je mourrai une autre fois. Demain peut-être. Je suis monté après le *Téléjournal* où on n'annoncera pas ma mort. J'ai voulu dormir, comme d'habitude. J'irai finir le U de mon FUCK YOU un autre matin. Je l'ai embrassée dans le cou.

À *TIRE-D'AILE*
Une femme, dans un lit, se retourne vers un homme, l'embrasse longuement et lui chuchote une phrase à l'oreille.

PLUS TARD.

J'attends le gibier étendu sur les feuilles mortes d'un autre automne.

Il y a des bruits dans la forêt. Le fusil est posé sur ma poitrine. Je sens son poids, il monte et descend avec ma respiration. Je termine le U. Je regarde le ciel. Une buse vole dans le ciel. Elle voit et reconnaît sûrement ce murmure.

J'observe les avions qui sont partout maintenant. Les routes aériennes sont des graffitis rectilignes, ennuyeux et invisibles, qui transportent des centaines d'humains. Même à des milliers de kilomètres de toute civilisation, le trafic aérien existe. J'aurais pu commencer mon U sur l'île Bylot au Nunavut, ni plus ni moins que la fin du monde, où des touristes riches et crétins venus d'Asie, assis dans un avion, auraient pu ne passer qu'à quelque dix kilomètres au-dessus de moi alors que j'aurais mis plus de trente heures de voiture ou huit heures d'avion de brousse pour m'éloigner des épicentres. La vraie distance est horizontale. Entre nous. Sur un divan.

Les pôles Nord et Sud, même le cap Horn, sont devenus des destinations pour les bateaux de croisière.

Le pôle Sud de Sir Shackleton est devenu du tourisme de vanité. D'authentique, il ne reste manifestement plus que la latitude des caribous, coincée entre un pôle Nord romantique et une Amérique asphaltée, si peu sincère.

La buse est une espèce protégée. Majestueuse. Interdite de chasse depuis la nuit des temps. Je l'ai appâtée avec des lièvres morts. La nuit va tomber, elle sera moins méfiante.

Savais-tu, Emma, que quand la lune est cernée le soir, il va pleuvoir le lendemain ?

Je suis couché sur le sol immobile qui se décompose doucement. Je n'entends plus ma respiration, il n'y a que cette voix intérieure. Peut-être comme dans un cercueil six pieds sous terre, vivant.

Il n'y a que l'attente de la mort, et cette pensée qui fait tic-tac, qui calme ma conscience. Et cet oiseau qui plane.

Achevé d'imprimer en janvier 2018
sur les presses de l'imprimerie Gauvin

ÉD. 01 / IMP. 06